D1010444

Para
Lee, Andy, Nancy y Julie

Traducción: **Miriam Weil Behar, M. Ed., C.A.S.**
Universidad Anáhuac
Universidad Americana/Universidad de Harvard

LAS PREGUNTAS
DE LOS NIÑOS SOBRE EL
DIVORCIO

RICHARD A. GARDNER

EDITORIAL
TRILLAS

México, Argentina, España,
Colombia, Puerto Rico, Venezuela   ®

Catalogación en la fuente

Gardner, Richard A.
    Las preguntas de los niños sobre el divorcio. --
México : Trillas, 1995 (reimp. 2008).
    155 p. : il. ; 23 cm.
    Traducción de: The Boys and Girls Book About
Divorce
        ISBN 978-968-24-5158-4

    1. Divorcio - Aspectos psicológicos. 2. Problemas
emocionales de niños. 3. Niños - Dirección. I. t.

    D- 306.89'G532p   LC- HQ777.5'G3.6   2728

Título de esta obra en inglés:
The Boys and Girls Book About Divorce

Versión autorizada en español de
la primera edición publicada
por Jason Aronson Inc.
ISBN 0-87668-664-1

División Administrativa
Av. Río Churubusco 385
Col. Pedro María Anaya, C. P. 03340
México, D. F.
Tel. 56884233, FAX 56041364

División Comercial
Calzada de la Viga 1132
C. P. 09439, México, D. F.
Tel. 56330995, FAX 56330870

www.trillas.com.mx

Miembro de la Cámara Nacional de
la Industria Editorial
Reg. núm. 158

Primera edición en español OA
ISBN 978-968-24-5158-4
(SS, SL)

Reimpresión, 2008

Impreso en México
Printed in Mexico

Presentación

De los muchos libros que he escrito, Las preguntas de los niños sobre el divorcio es el más popular. Desde su publicación en 1970, ha sido impreso en numerosas ocasiones y se ha convertido en un libro común en la mayoría de las librerías en los Estados Unidos. Por lo general, los profesionales de la salud mental les sugieren a sus pacientes leerlo. Tal popularidad, claro está, es una fuente de satisfacción muy grande para un autor. Igualmente gratificante es el hecho de que los lectores han sugerido que se cambie muy poco, a pesar de que hace ya 15 años que escribí el libro. Y yo también creo que hay poco material que merece ser revisado.

Así como era cierto en el momento en que se publicó el libro, el índice de divorcios sigue creciendo y el número de niños cuyos padres se han divorciado también ha aumentado. Nuestro conocimiento acerca de los efectos psicológicos del divorcio en los niños se ha incrementado en forma considerable y las cuestiones que yo trato aún son poderosamente válidas en la actualidad. Asimismo, algunos problemas han cambiado muy poco en el transcurso de los años y casi podría afirmarse que poseen un carácter universal. Esto es lo que parece suceder con las reacciones de los niños ante el divorcio y con el tipo de información que ellos necesitan para ayudarse a sí mismos a manejar eficientemente esta difícil situación.

Como lo había esperado en el momento de la publicación, los padres han apreciado el que los mensajes del libro también sean para ellos y no sólo para sus hijos. Incluso algunos profesionales de la salud mental han considerado que el libro contiene información valiosa para ellos. Esto sólo confirma mi creencia de que no existe nada en el campo de la psicología psicodinámica que no pueda ser entendido por un niño promedio de 12 años, si el profesional estuviera dispuesto a prescindir de la jerga y a utilizar un lenguaje sencillo.

Desde la publicación del libro he recibido cientos de cartas de niños. Muchos me han escrito para informarme de la ayuda que les he dado y para agradecerme por haber escrito el libro. Muchos de ellos me han preguntado: "¿cómo sabías todas las cosas que me sucedieron?", y "¿cómo sabías qué pensamientos y sentimientos estaba experimentando?". Algunos pidieron mi consejo para problemas que abarcaban desde superficialidades hasta situaciones trágicas. Y todas las cartas han sido contestadas, a pesar de que en ocasiones no haya podido ofrecer más ayuda que canalizar al niño a un lugar donde pudiera recibir el apoyo apropiado.

Los niños que han escrito estas cartas invariablemente me han impresionado con su autoafirmación y su negativa a ser derrotados por los problemas que han sufrido como consecuencia del divorcio de sus padres. En las cartas que he contestado, siempre los he felicitado por su resistencia ante la adversidad y por su impulso por aprender mejores formas para enfrentar sus dificultades. Estos niños son testimonios vivientes de la premisa básica del libro, de que la verdad y el conocimiento, aunque a veces dolorosos, nos proporcionan la fortaleza necesaria para lidiar con problemas inevitables de la vida, ya sea el divorcio de los padres o cualquier otra desgracia que nos pueda suceder.

Reconocimientos

La mayor parte de lo relatado en este libro sobre las reacciones de los niños ante el divorcio, ha sido producto de mi trabajo terapéutico con niños que vivieron dicha situación. En cierta manera, gran parte del libro fue escrita por ellos, con el autor sirviendo como recolector y organizador de la información. De los muchos niños que han contribuido de esta forma, agradezco especialmente a Anne, Barbara, John, Joni, Kathy, Kevin, Ronald y Scott. Otros niños que merecen mención por su ayuda son Beth, Douglas, Jeffrey, Jonathan, Leo, Martin, Sara y Stephanie. El interés, la cooperación y las sugerencias de los padres de estos niños, son profundamente apreciadas también.

De los amigos y colegas que fueron muy amables como para leer el texto y ofrecer sugerencias, estoy particularmente agradecido al Dr. Gerard Chrzanowski, al profesor Frances Dubner, a Minna Genn, a la Dra. Clarice Kestenbaum y al rector Michael Sovern.

Por último, mi más profundo agradecimiento le corresponde a Lee quien, siendo una cariñosa esposa, pacientemente toleró las ausencias que requirió la elaboración de este libro y, como una respetada colega, me proporcionó las sugerencias más útiles y significativas.

RICHARD A. GARDNER

Prefacio

A pesar de que en muchos aspectos ésta es una época problemática, en muchos otros es un periodo maravilloso para estar vivo. Es un tiempo en el que los sentimientos de las personas son reconocidos, enfrentados, respetados y manejados con mayor consideración que nunca antes.

En el presente libro, por ejemplo, por vez primera un autor habla en forma directa y honesta a los niños y niñas sobre los sentimientos que pueden experimentar cuando sus padres se divorcian. No soslaya los hechos, sino que enfrenta con franqueza las situaciones que para muchos resultarán muy difíciles de afrontar por un buen tiempo. En lugar de disfrazar las cosas como muchos escritores lo han hecho en el pasado, él habla claramente acerca de algunos de los miedos, ansiedades y tristezas que estos niños experimentarán. Les asegura que no son los únicos que albergan dichos sentimientos y que no está mal o es inusual sentirse como ellos se sienten.

De esta manera, para cada problema descrito, el autor proporciona sencillos y prácticos consejos relacionados con lo que los niños pueden hacer para sentirse mejor y para que tanto ellos como sus padres, tengan una vida más fácil y placentera.

Algunas de estas ideas son totalmente convencionales. El doctor Gardner apoya muchas de las nociones comúnmente encontradas en la literatura acerca del tema del divorcio: que la mayoría de los niños están mejor en una casa en la que existe un divorcio que en una en donde vive un matrimonio infeliz; que los padres deben esforzarse lo más posible por no utilizar a sus hijos para librar sus batallas; que los pequeños de padres divorciados deben, en la medida en que sea posible, rehuir a la tentación de intentar tomar el lugar del padre ausente; que los niños deben evitar consumir una gran cantidad de energía emocional buscando, probablemente en vano, que sus padres se casen entre sí nuevamente.

Menos convencionales son algunas de sus opiniones, las cuales contradicen muchas de las nociones comúnmente sostenidas con respecto a lo que los padres divorciados deben decirles a sus hijos. Por ejemplo, él cree que si el padre o la madre ausente no muestra ningún interés por el bienestar de sus hijos, la otra parte debe exhortar a sus niños a que admitan este triste hecho y debe ayudarlos a asimilarlo. Se espera que el niño advierta que el que uno de sus padres no lo quiera, no lo convierte en un niño malo o que no puede ser amado.

Asimismo, da un consejo muy realista, nuevamente contrario a lo que se cita en la mayoría de la literatura sobre este tema: los padres no *siempre* deben decir *sólo* cosas buenas del otro. Debe evitar lo más posible, mostrar amargura u ofenderlo, pero también, de vez en cuando, deben admitir en forma honesta que el otro ocasionalmente tiene fallas.

Por razones obvias, esta sugerencia es muy acertada ya que si la madre insiste en que el padre ausente quiere a sus hijos —a pesar de todas las evidencias que prueban lo contrario— o si pretende convencerlos de que el padre ausente no tiene defectos, sus hijos no le creerán o no confiarán en lo que ella dice.

Éste no es un libro de cuentos infantiles. Enfrenta problemas serios, tristes, y sentimientos infelices en forma franca pero, a pesar de ello, mantiene un espíritu alegre y positivo. Para cada problema sugiere una solución o, al menos, una forma práctica y sensible de afrontar una situación difícil y dolorosa cuando ésta es inevitable.

Esta obra es una guía que proporciona la información más necesaria y accesible para esas personas jóvenes –los hijos de padres divorciados– que se enfrentan a más problemas de los que muchos de ellos pueden manejar. Estos niños sufrirán menos por su situación si toman en cuenta, al menos en parte, los excelentes consejos del Dr. Gardner.

Louise Bates Ames, Ph. D.
Directora asociada,
Instituto Gesell.

Índice de contenido

Introducción
para padres

La mayoría de los psiquiatras coinciden en que el divorcio en sí mismo no necesariamente causa que se desarrollen problemas psiquiátricos en los niños. De hecho, el niño que vive con padres que están infelizmente casados presenta con mayor frecuencia dificultades psiquiátricas, comparado con aquel que tiene padres que mantenían una relación inapropiada, pero que fueron suficientemente sanos y fuertes para terminar con ella.

Dos tipos de ambientes familiares pueden conducir al desarrollo de desórdenes psiquiátricos en un niño, independientemente de que los padres estén o no divorciados. El primero, es la presencia de desórdenes psiquiátricos significativos en uno o ambos padres. El segundo, es la mala relación existente entre la pareja. Claro que ambos pueden presentarse en forma conjunta y, a veces, no ser prontamente detectados.

Mientras que los desórdenes psiquiátricos generalmente requieren un tratamiento específico, los problemas que surgen del mal manejo de la relación con frecuencia pueden ser mejorados y hasta evitados con una orientación apropiada.

El objetivo de este libro es —por medio de la guía que le proporciona al niño— aliviar y prevenir algunas de las dificultades psiquiátricas que surgen principalmente por la inexperiencia, ingenuidad y mal manejo de los padres. No obstante que este libro también puede servir para mitigar y prevenir algunas de las dificultades causadas por enfermedades psiquiátricas de los padres, el autor está muy consciente de que, sólo puede jugar un papel limitado en este aspecto, ya que los desórdenes que están más enraizados, generalmente requieren acercamiento más directo y no sólo información y orientación.

Aunque fue escrito para los niños y diseñado para que ellos lo lean a solas o junto con uno de sus padres, los consejos que se presentan seguramente serán de valor para estos últimos, especialmente cuando se enfrenten a alguno de los problemas que se discuten aquí.

Este libro se basa en la premisa de que ciertos desórdenes que padecen los hijos de parejas divorciadas, son el resultado del hecho de que sus padres, a menudo con la mejor intención y hasta apoyados por autoridades profesionales, no son *apropiadamente* honestos con sus hijos en lo que se refiere a su divorcio. Es de hacer notar que utilizo el término "apropiadamente" ya que no creo que las vidas de los padres tengan que ser siempre un libro abierto para sus hijos. No obstante, los padres se inclinan por ocultar a sus hijos información que tienen el derecho de saber, la cual, de ser conocida, beneficiaría su desarrollo emocional. Dicha información generalmente es ocultada porque los padres consideran que su divulgación sería psicológicamente destructiva para sus hijos.

Sin embargo, los niños son mucho menos frágiles en este sentido de lo que la mayoría de los padres piensan y su capacidad para aceptar realidades dolorosas es mayor de lo que comúnmente se considera. Lo verdaderamente difícil para ellos es manejar (y esto también es cierto en los adultos) las ansiedades asociadas con la ignorancia y los secretos de los padres, ya que la fantasía se desata y sus peores presentimientos pueden verse confirmados o refutados. Las verdades a medias provocan confusión y desconfianza, mientras que la verdad —a pesar de ser dolorosa— engendra confianza e infunde en el niño la seguridad de saber exactamente en qué situación se encuentra. De esta forma, estará en una mejor posición para manejar situaciones de manera efectiva.

El propósito primordial de este libro es ayudar a los niños a llevarse mejor con sus padres divorciados. Su intención principal no es aconsejar a los padres sobre cómo manejar a sus hijos, no obstante que muchas ideas mencionadas en la obra pueden ser útiles también para ellos. En los muchos libros y artículos que informan a los padres acerca del manejo de sus hijos hay dos sugerencias con las que estoy en total desacuerdo y que son citadas frecuentemente. Estas recomendaciones han contribuido para agravar más que para solucionar o mitigar las dificultades y el sufrimiento del niño.

La primera es que los padres deben ser extremadamente cuidadosos al tratar de crear en el niño la impresión de que la parte ausente (con mayor frecuencia el padre) aún lo quiere, a pesar de que dejó el hogar. La razón que sustenta este argumento es que es muy importante para el niño sentirse amado por el padre que no vive más en casa. Seguramente este es el caso de la mayoría de los padres ausentes y en dichas situaciones, este consejo es apropiado y válido.

Pero, ¿qué sucede con el padre que, aun viviendo en las cercanías, casi nunca busca a su hijo, o con el padre que abandona a su familia y del que jamás se ha vuelto a saber? ¿Qué pasa con la madre que deja su casa y abandona a sus hijos? ¿Estos padres *quieren* a sus hijos? Lo dudo mucho. ¿Se les debe decir a estos niños que sus padres aún los aman? Yo pienso que *no*. Un niño al que se le ha dicho que esa persona aún lo quiere, no puede creerlo realmente. El niño percibe el engaño y pierde la confianza en el padre que le dice lo que él sabe que no es cierto. Si un padre puede en verdad querer a un hijo y aún así, nunca desear verlo otra vez, entonces el niño se confunde al no comprender qué es realmente el amor.

Estos pequeños se sienten mejor cuando se les dice que el padre ausente tiene poco o ningún amor por ellos. Esto *no* necesariamente se reflejará en el niño. El fracaso de un padre para querer a su hijo no hace al niño indeseable, ni tampoco quiere decir que no podrá ser amado por otra persona en ese momento o en el futuro. Lo cual significa que el padre debe tener un serio defecto de personalidad (independientemente de sus cualidades) que le impide querer a su propio hijo. Debe dar lástima si no es capaz de experimentar y disfrutar esta gran fuente de gratificación que es la relación padre-hijo. El niño deberá ser alentado a buscar cariño en aquellas personas que sí se lo darán, ya que sin reciprocidad no puede existir un verdadero amor.

La segunda sugerencia es que los padres divorciados no deben criticarse ante su hijo. La creencia que respalda esta afirmación es, que para su sano desarrollo psicológico es importante que el niño sienta respeto y admiración por ambos padres. Así que sólo puede hablarse de las virtudes que posean.

Aquí, nuevamente, se crea desconfianza y confusión. El niño sabe bastante bien que cada uno de sus padres considera que el otro tiene serios defectos en su manera de ser, ya que de no ser así, ¿por qué se divorciaron? Es razonable que un niño cuyos padres sólo hablan de las cualidades y méritos de su ex cónyuge, pregunte: "¿si era tan maravilloso, por qué entonces te divorciaste de él?" (o de ella). Un niño así, ya tiene suficientes problemas. Difícilmente necesita de más conflictos; tiene bastante con no poder creer lo que dicen sus padres. Por otra parte, la imagen de la persona que está siendo halagada será forzosamente distorsionada, ya que el pequeño no confiará en su fuente primaria de información y sus fantasías sólo podrán ser confirmadas o refutadas por sus propias observaciones, las que con frecuencia son parciales.

El acercamiento más sano en este tipo de situaciones, es brindar al niño una descripción exacta de sus padres: reconocer sus cualidades y sus responsabilidades, sus fortalezas y sus deficiencias. Como todo ser humano, sus padres no son perfectos. Debe respetar a cada uno en las áreas que merecen respeto y menospreciar aquellos aspectos que no son dignos de admiración. Si los defectos de un padre sobrepasan por mucho sus fortalezas, hay que aceptarlo. Esto no debe perjudicar al niño. Él puede sufrir al no tener una figura a quién admirar y con quién identificarse pero, ¿acaso esto es peor que imitar a una persona idealizada cuyas cualidades sólo existen cuando se mencionan con palabras vacías que el niño no puede realmente creer? El respeto se gana, no puede obtenerse con una orden o por medio de un engaño. Normalmente, los pequeños lograrán ver a través de la fachada.

Como padres, podemos preguntarnos: "¿qué debo hacer, contarle todos los sórdidos detalles?". No, ya que esto tampoco beneficiaría al niño; afortunadamente existe un punto medio. Puede ser difícil llegar a él, pero contamos con algunos indicadores. Cada padre, debe reconocer que, le guste o no, su conducta es juzgada por su hijo. Es la obligación de cada padre ayudar a sus hijos a percibir esa conducta en forma clara, tanto en lo que se refiere a su comportamiento como al de su ex cónyuge. Ya que la mayoría de los padres divorciados exhiben una notoria falta de objetividad al describir los defectos de sus ex parejas, deberían ser cuidadosos y autocríticos al hacerlo. Sin embargo, algunas situaciones son obvias. Cuando un padre deja de visitar a sus hijos, está manifestando poco interés y esto debe ser denominado así. Cuando demuestra un interés genuino por el bienestar de su hijo, muestra su involucramiento y debe describirse de esta manera. Cuando una madre deja a su hijo bajo el cuidado de un niño de siete años, actúa con negligencia y esta acción debe ser definida como tal. Cuando se abstiene de comprarse un nuevo vestido para obsequiar ropa a sus hijos, está mostrando un interés auténtico y los niños deben saberlo.

Los detalles concernientes al conflicto entre padres, especialmente los "sórdidos", con frecuencia son de poca importancia directa para el niño. Éstos son asuntos privados de los padres y el hijo debe entenderlo así. El niño también tiene derecho a su propia privacía y ésta debe ser respetada por sus padres. En cambio, los detalles relacionados con la conducta de un padre hacia su hijo, no importando que tan despreciables sean, *sí son asunto suyo*. Esto debe ser enfrentado por todos los involucrados. Estos detalles deben ser discutidos a un nivel que sea comprensible para el pequeño y con un grado de profundidad apropiado para su edad. En esta atmósfera el niño sabrá qué criticar y qué admirar, qué amar y qué reprobar. Así estará mejor capacitado para manejar esas vicisitudes y paradojas de la vida para las cuales todo padre debe preparar a su hijo.

Este libro ha sido escrito para orientar a los niños sobre cómo manejar el divorcio de sus padres, y no al contrario. Sin embargo, hay una recomendación que deseo hacer ya que con frecuencia es omitida incluso en los manuales que ofrecen el equivocado consejo que acaba de discutirse. La menciono por separado pues es probablemente la más simple y, a la vez, la más efectiva manera de prevenir reacciones patológicas en el niño, así como una forma de aliviarlas en caso de que ya existan. Me refiero a la simple costumbre de los padres de reservar unos cuantos minutos del día para pasarlos a solas con cada uno de sus hijos. Esto debería hacerse en un momento en el que el padre puede dirigir toda su atención al niño y entablar con él conversaciones significativas o está dispuesto a involucrarse en experiencias mutuamente agradables. El tiempo no tiene que ser mayor de 10 o 15 minutos, pero debe volverse una rutina mucho más importante que cualesquiera otras actividades y obligaciones. De preferencia, estos ratos de convivencia deben tener lugar cuando tanto los padres como el niño mismo, están menos distraídos por otro tipo de preocupaciones. Lo más saludable que puede suceder es que los dos compartan abiertamente pensamientos y sentimientos profundos de mutuo interés. Estos momentos de armonía y resonancia empática proveen la base sobre la que se levantará una relación saludable y constituyen el antídoto más eficaz para esas situaciones perjudiciales en la relación padre-hijo que originan desórdenes emocionales.

En este libro se presentan algunos de los problemas más comunes que enfrentan los niños de padres divorciados junto con sugerencias para que los pequeños los solucionen, los enfrenten o aprendan a adaptarse a su dificultades. Mi intención ha sido la de discutir estas inquietudes de la forma más honesta posible, con un nivel de profundidad comprensible y un lenguaje que pueda ser entendido por niños que cursan grados escolares comprendidos entre el tercer año de primaria y la secundaria. Los adolescentes también encontrarán información de gran interés para ellos y seguramente leerán el libro con entusiasmo, aunque a veces pueden quejarse de que es muy "infantil". El padre prudente reconocerá el rechazo de los adolescentes a hacer asociaciones personales con cualquier cosa que les recuerde la niñez, pero no dejará que estos comentarios los desanimen a leer el libro.

Algunos niños pueden experimentar ansiedad por ciertas partes del material presentado aquí, pero mi experiencia me permite afirmar que estos casos serán rarísimos. Por el contrario, la mayoría de ellos han mostrado un profundo interés y entusiasmo por la obra. En muchas ocasiones, la ansiedad se presenta más en los padres que en el niño. El padre que decide de antemano que este libro será desagradable para su hijo, posiblemente estará privándolo de la oportunidad de leer algo que puede serle de gran ayuda. Permita que su hijo sea su propio juez. Deje que sus defensas internas sean los árbitros finales. El niño que encuentre este material demasiado doloroso será una rara excepción, pero logrará protegerse a sí mismo mostrando una falta de interés o rehusándose a leerlo. En el peor de los casos, experimentará una moderada ansiedad pasajera, pero no sufrirá ningún daño psicológico permanente. Estos desórdenes sólo surgen como resultado de exposiciones prolongadas a traumas y experiencias destructivas. Si observa a su hijo titubeante, no lo presione. Al contrario, dígale que no necesita leer el libro si no lo desea y que podrá revisarlo nuevamente si cambia de opinión.

Puesto que en la mayoría de los divorcios la madre es quien tiene custodia de los niños y el padre el privilegio de visitarlos, el libro se dirige a los pequeños que se encuentran en esta situación. Sin embargo, aquellos cuyas circunstancias son diferentes también encontrarán que mucho de lo que aquí se comenta les es aplicable.

Este libro no está diseñado para ser leído "en una senta-da". *La mayoría de los pequeños no podrían, de ningún modo, comprender toda la información con la primera lectu-ra.* El índice de contenido es suficientemente explícito para que el niño pueda seleccionar los temas que le interesan y preocu-pan más. Realmente no importa si el libro no se lee en forma continua. *Ojalá que el material que se presenta aquí sirva como punto de partida para posteriores discusiones entre padres e hijos.* Estas conversaciones no sólo ayudarán a resol-ver problemas familiares, sino que también contribuirán a unir más a padres e hijos; así como el cuestionamiento mutuo y la discusión cooperativa reducirán la separación que se crea en-tre los padres y los hijos debido al divorcio.

Introducción
para niños

Mi nombre es Dr. Richard Gardner. Soy psiquiatra infantil. Para todos los que no saben qué significa eso, les diré que un psiquiatra infantil es un doctor que trata de ayudar a los niños que tienen problemas y preocupaciones.

Algunos de los niños que vienen a mi consultorio tienen problemas porque sus papás están divorciados. Estos niños casi siempre se sienten mejor después de saber ciertas cosas importantes sobre sus sentimientos y sus pensamientos. También platico con ellos acerca de otras cosas. Cosas que ellos pueden hacer y que les ayudarán a sentirse mejor.

Además, estos pequeños han compartido conmigo muchas cosas; cosas que tienen que ver con lo que piensan y sienten y con lo que pueden hacer para ayudarse a sí mismos.

Me gustaría decirles algo antes de que empecemos a hablar del divorcio. Cuando algo pasa que nos causa tristeza y dolor, generalmente lo mejor que podemos hacer es tratar de conocer exactamente cuál es el problema. Así es más fácil decidir qué hacer para estar y sentirse mejor. Algunos niños no hacen esto. Tratan de fingir que todo está bien y esconden su tristeza. Al actuar de este modo, no están tratando de ayudarse a sí mismos, por lo que sus problemas no se resuelven y hasta pueden empeorar.

Es mucho mejor saber la verdad sobre los problemas y no

tratar de esconderlos, a pesar de que la verdad puede darte miedo o causarte dolor.

Cuando conoces la verdad, casi siempre puedes hacer algo para resolver tus problemas. En cambio, si escondes la verdad, no puedes hacer nada para solucionarlos y por ello la situación empeora.

Algunos niños tratan de esconder los problemas que tienen cuando sus padres se divorcian. Si estos niños dejaran de esconder sus problemas y empezaran a tratar de hacer algo para

resolverlos, se sentirían mucho mejor. Si tú has estado escondiendo tus sentimientos, ahora es el momento de dejar de hacerlo.

En este libro aconsejo a los pequeños sobre ciertas cosas que pueden hacer. Muchos niños cuyos padres están divorciados son muy infelices y sienten que no pueden hacer nada para resolver sus problemas. Pero no es cierto. En este libro te voy a enseñar algunas cosas que te pueden ayudar a solucionar tus problemas. Te comentaré las dificultades más comunes que tienen los hijos de padres divorciados. Algunas serán como las que tú tienes, otras no. Después de que cada problema se haya discutido, te voy a decir las cosas que puedes hacer para ayudarte a ti mismo si es que tienes ese problema.

Hablaré de muchos problemas. No trates de leer demasiados capítulos a la vez. Si lo deseas, consulta el índice y escoge los capítulos que más te interesan para que así los leas primero. Usa este libro como si fuera una enciclopedia. No es indispensable que leas los capítulos en orden. Lee cada parte con cuidado y asegúrate de que entiendes todo lo que se comenta. Si no comprendes algo, pídele a uno de tus padres que te lo explique. Que no te dé pena hacer la misma pregunta una y otra vez, si no te queda claro algo. Casi todos los padres estarán dispuestos a explicar las cosas tantas veces como sea necesario para aclarárselas a sus hijos. Algunos niños prefieren leer este libro junto con uno de sus padres. De hecho, te sugiero que discutas con tus papás lo que vas leyendo siempre que sea posible.

Si lees este libro con cuidado, piensas en las cosas que te voy diciendo y tratas de hacer lo que sugiero, creo que te sentirás mejor y superarás tus problemas.

¿Un mal caballo o ninguno?

1

Algunas cosas que debes saber sobre el divorcio

La elección de Hobson

Antes que nada me gustaría contarte la historia de un hombre llamado Thomas Hobson. Thomas Hobson vivió en Inglaterra hace más o menos 400 años. En esos tiempos no había coches y por ello, las personas se trasladaban de un lugar a otro en caballos. El Sr. Hobson era dueño de muchos caballos y cuando la gente quería un caballo se lo alquilaba. Como las personas se tardaban mucho tiempo en decidir qué caballo querían, el Sr. Hobson estableció una regla. Esta regla decía: "si alguien quiere un caballo, tiene que tomar el primero de la fila, si no está de acuerdo, entonces no puede tomar ninguno". Si a la persona no le agradaba el primer caballo de la fila, podría elegir entre un caballo que no le gustaba o quedarse sin caballo.

La gente que no está contenta con su matrimonio tiene que hacer una elección parecida. Debe escoger entre un mal matrimonio y no tener un matrimonio. Algunas personas tienen

¿Un mal matrimonio o ninguno?

un matrimonio infeliz mientras que otras deciden dejar de estar casadas. Las personas que permanecen dentro de un mal matrimonio con frecuencia siguen peleándose y están muy disgustadas o tristes. Aquellas personas que deciden divorciarse, generalmente se sienten tristes y solas al menos un tiempo.

A todos los padres les entristece mucho divorciarse, ya que saben que al hacerlo van a herir a sus hijos. Pero el matrimonio muchas veces les causa tanto dolor, por los problemas que tienen con su pareja, que deciden divorciarse a pesar de que esto lastime a sus hijos. No desean herirlos, pero también tienen que pensar en sus propios sentimientos.

A menudo, el niño no puede hacer nada para solucionar el problema entre sus padres.

Tiene que hacer y aceptar lo que ellos decidan. Si los niños pudieran elegir entre un matrimonio infeliz con muchos problemas y el divorcio con los sentimientos de soledad que éste trae consigo, muchos escogerían el matrimonio infeliz. Pero ésta tal vez no sea la mejor elección. Casi siempre un niño se siente mejor cuando sus padres se divorcian y no cuando siguen viviendo juntos pero se están peleando a cada rato.

Lo que acabo de decir es muy importante. Los psiquiatras han descubierto que los niños que viven en hogares en donde los padres no se llevan bien, se sienten muy mal y con frecuencia tienen muchos problemas. Los niños de padres que se divorcian, tienen menos problemas de este tipo. Por supuesto que es mejor vivir en una casa en donde ambos padres están contentos, pero si esto no es posible, el niño probablemente estará mejor en una casa en donde ha habido un divorcio, que en una en donde existen muchas peleas y los miembros de la familia no son felices. Asimismo, cuando tus padres se divorcian, cada uno puede encontrar a alguien, volver a casarse y tratar de vivir con esa persona felizmente. Aunque alguno de tus padres se case con otra persona, tú podrás tener un hogar feliz. Algunos padres son muy infelices en sus matrimonios, pero no se divorcian porque piensan que va a ser muy duro para sus hijos. Esto puede ser un error, pues como ya dije, los niños generalmente están mejor cuando los padres se divorcian que cuando tienen que vivir en un hogar donde todos se sienten tristes.

Qué sienten los niños después del divorcio

Algunos niños se sorprenden al advertir que después del divorcio las cosas están, por primera vez, más tranquilas en casa. Parece gracioso pero un niño puede pasar más tiempo con sus padres cuando éstos están divorciados, comparado con el que pasaba con ellos cuando vivían juntos. Las madres y los padres frecuentemente parecen estar más felices y de mejor humor después del divorcio.

Sin embargo, otros niños se ponen muy, muy tristes justo después del divorcio. Pueden rehusarse a comer, tener problemas para dormir o perder el interés por jugar o por ir a la escuela y permanecer sin hacer nada todo el día. Pasan mucho tiempo pensando en lo que solían hacer con sus padres.

Extrañan mucho a sus papás y continuamente esperan que se reconcilien y se casen otra vez. Pueden llorar mucho y a veces hasta sentirse mal o avergonzados por hacerlo. No deben avergonzarse por llorar porque sus padres se separaron.

Los buenos tiempos con papá.

Cuando lloras, te sientes un poco mejor. Es muy bueno desahogarse. Muchos niños que están tristes al llorar de vez en cuando logran sentirse mejor con el paso del tiempo y se acostumbran a vivir sin sus padres. Esto es algo muy importante que hay que tener presente: conforme pasa el tiempo, los sentimientos dolorosos relacionados con el divorcio van disminuyendo poco a poco. Si el niño está consciente de que su madre puede volver a casarse algún día, esto hará que se sienta un poco mejor. Si este pequeño se hace amigo de otros niños de su misma edad o un poco mayores, puede compensar la pérdida de su padre.

Pero algunos niños esperan durante mucho tiempo que sus padres vuelvan a vivir juntos. Es común a pesar de que sus padres les hayan repetido varias veces que no volverán a vivir juntos. Si estos niños continúan pensando así, seguirán sintiéndose tristes.

Cuando finalmente dejen de esperar que pase algo que no va a suceder y empiecen a tratar de superar la pérdida de su padre disfrutando sus relaciones con amigos y con otras personas, empezarán a sentirse mejor.

2

¿A quién debemos culpar?

Las palabras "culpa" o "error", se escuchan con frecuencia en familias en las cuales la pareja se ha divorciado. Los padres a menudo se culpan mutuamente por el divorcio, quizá pueden culpar a sus hijos o, a veces, cada miembro de la familia se culpa a sí mismo. En este capítulo platicaremos acerca de los diferentes tipos de culpa para que te quede claro cuándo una persona realmente es culpable y cuándo no.

Tus padres no se divorcian porque tú seas malo

Algunas veces un niño piensa que sus padres se divorciaron porque él se portó mal. Ésta no es la razón por la cual los padres se divorcian. Ellos tomaron esa decisión porque no eran felices y ya no querían vivir juntos y *no* porque sus hijos sean malos.

Con frecuencia los niños que piensan que sus padres se divorciaron porque eran malos, son niños buenos. Claro está que, como todos los niños, a veces se portan mal. Pero estos pequeños piensan que sus padres se divorciaron porque ellos hicieron ciertas cosas que no deberían haber hecho. Esto no es verdad. La mala conducta de los hijos no tiene nada que ver con el divorcio de los padres. Estos niños a veces creen que si tratan de ser muy, muy buenos, sus padres volverán a casarse. Yo nunca he visto que esto suceda. Puesto que el divorcio no tuvo nada que ver con el comportamiento del niño, el hecho de ser bueno o de portarse bien no puede hacer que sus padres vuelvan a vivir juntos.

Si tú piensas así, pregúntale a tus padres si se divorciaron porque te portaste mal. Estoy seguro de que ellos te dirán que tu mala conducta no tuvo nada que ver con su decisión. Sin embargo, de vez en cuando, un padre le dirá a su hijo que se divorció porque el niño se portó mal. Si alguno de tus padres dice algo así, no le creas. Si se expresa de esa forma es porque él tiene problemas o preocupaciones propias que le impiden ver las cosas como realmente son.

Los niños que están convencidos de que sus padres se divorciaron porque ellos han sido malos, se sienten muy tristes por esto. Pasan mucho tiempo pensando en qué tan malos fueron y tratando de encontrar maneras de ser buenos para que sus padres vuelvan a casarse. Evitan a sus amigos y casi no ponen atención en la escuela.

Ciertos niños están convencidos de que el divorcio fue culpa de ellos porque esto los hace sentir que pueden controlar la situación. Déjame explicarte qué quiere decir esto. Mientras el niño piense que él es el causante del divorcio de sus padres, también le será fácil creer que tiene el poder necesario para lograr que sus padres vuelvan a casarse. Esta convicción le brinda un sentimiento de control sobre las vidas de sus padres; control que realmente no tiene. Al culparse a sí mismo por el divorcio, se inventa la esperanza de que él será capaz de hacer que sus papás estén juntos otra vez.

Si tú eres un niño que piensa así, es mejor que dejes de buscar formas para que tus padres se vuelvan a casar, y que aceptes que no lo harán. Debes darte cuenta que como hijo no puedes hacer nada. El divorcio es algo que no puedes controlar. Hay muchas cosas en la vida que no podemos controlar y el divorcio de nuestros padres, es una de ellas. Los niños deben aprender a aceptarlo. Una vez que aceptan este hecho, deben tratar de no estar aislados y evitar sentirse solos. El reunirse con sus amigos, compañeros de clase y otras personas les ayudará a sentirse mejor.

Los accidentes y errores de los padres

A veces los niños piensan que la tristeza y la soledad producidos por el divorcio es culpa de alguno de sus padres. En cierta forma es cierto, pero en la gran mayoría de los casos, ellos no quisieron herir a sus hijos. Esto podrás entenderlo mejor si lo ilustramos con ejemplos.

Este niño está trabajando con su papá en un taller. Sin querer, el padre golpea el dedo de su hijo con un martillo. El niño siente un dolor intenso y se le hincha el dedo. El padre se apena y se disculpa. Su hijo lo perdona. Pronto su dedo mejora y siguen trabajando juntos.

Aunque el padre lastimó a su hijo sin querer, él fue el culpable de que el dedo del niño se hinchara y se pusiera morado y, por ello, se sintió muy afligido.

Este otro niño también está trabajando con su papá. Su padre se enoja con él y deliberadamente le pega en el dedo con el martillo. Al niño se le hincha el dedo y se le pone morado. El padre no se disculpa. El niño no lo perdona. Así, el pequeño deja de trabajar con su padre por el resto del día.

Ambos padres lastimaron el dedo de sus hijos con un martillo. Uno de ellos golpeó a su hijo por accidente y el otro lo hizo intencionalmente. En cierta forma, el hecho de que el niño tenga el dedo lastimado es culpa del padre, pero el que lo hizo por equivocación es menos culpable que el que lo hizo a propósito.

Con sus errores, los padres divorciados a menudo lastiman a sus hijos. En algunos casos, los padres piensan que fue un error el haberse casado y les angustia el saber que su divorcio lastimará a sus hijos. Esto los hace sentirse muy tristes, pero así como el padre que lastimó accidentalmente a su hijo con el martillo no pudo evitarlo, los padres no pueden, aunque quieran, evitar herir a sus hijos al divorciarse.

Cosas que los padres no pueden controlar

En algunas ocasiones el divorcio es el resultado de cosas que los padres no pueden controlar.

El papá de una niña bebía mucha cerveza. Se emborrachaba con frecuencia. Por ello perdió su trabajo y ya no pudo mantener a su familia. Finalmente, su esposa decidió divorciarse.

Él había tratado muchas veces de dejar de beber pero no podía. Esto lo puso muy triste pues pensó que, debido a que no podía dejar de beber, su esposa y sus hijos estarían tristes y se sentirían muy solos.

En cierta forma, el divorcio fue culpa del padre, pero él fracasó por algo que no pudo controlar. Muchos otros problemas de los padres que no pueden ser controlados, también provocan un divorcio.

Los padres que lastiman a sus hijos porque cometen el error de casarse y los que lastiman a sus hijos por problemas y preocupaciones que no pueden controlar, casi siempre son personas que no desean herir a sus hijos. A pesar de que tú puedes llegar a sentir coraje hacia tus padres, es importante que te des cuenta de que también tienes que sentir pena por ellos, porque también se sienten muy tristes. Si gastas todo tu tiempo culpándolos, no vas a logar nada.

El padre al que sí hay que culpar

Sin embargo, sí existen algunos padres que simplemente no quieren cuidar a su familia y la abandonan.

Me alegra decir que muy pocos padres son así. Ellos no provocan que sus hijos se sientan tristes y solos por error o porque no pudieron evitarlo. Éstas son personas que únicamente piensan en sí mismas, y sí son culpables. Se van de la casa a propósito y es difícil compadecerlos y comprenderlos cuando estamos solos y tristes.

Si tú tienes un padre así, de nada te sirve estar enojado con él. Si has tratado de hacer que ese padre te quiera o se interese por tu familia y no lo has conseguido después de varios intentos, es mejor que olvides todo tan pronto como puedas y trates de encontrar otras personas que sí se preocuparán por ti. Es importante recordar que no porque ese padre no se interese por ti, nadie más lo hará.

Algo más sobre la culpa

A veces los padres tratan de culparse mutuamente por los problemas que hay en su matrimonio. Cada uno dice que *toda* la culpa la tiene su pareja. Uno de ellos puede decir que el otro hizo algo deliberadamente y no por error o porque no pudo evitarlo. Muchas veces esto no es verdad. Normalmente los dos padres causan el problema, ya sea porque se equivocaron o porque pasaron cosas que no pudieron evitar. Con frecuencia cada padre ha tenido errores y trae consigo problemas y preocupaciones que no puede controlar fácilmente. Los padres, como muchas otras personas, se sienten mejor cuando le echan la culpa a otros por cosas que los hacen sentir avergonzados.

Algunos niños piensan que el divorcio no puede ser culpa de sus padres porque creen que éstos son perfectos y, por tanto, piensan que ellos son los responsables. Este tipo de niños no saben las cosas que yo les acabo de decir (que los padres pueden equivocarse y hacer cosas que realmente no les gustan pero que, no pueden evitar porque no tienen control sobre sus acciones). Esto no quiere decir que sean muy malos, tan solo significa que ciertas cosas no logran hacerlas muy bien.

Culpar a alguien es perder el tiempo. Responsabilizando a alguien no vas a conseguir que tus padres se casen otra vez. Aunque culpes a tu madre, a tu padre o a ti mismo, las cosas no van a cambiar. Lo importante es que dejes de culpar a la gente por cosas que ya pasaron y que no pueden cambiarse y, en su lugar, empieces a hacer cosas que lograrán que tu futuro sea mejor y más feliz.

A veces es amor.

A veces es odio.

3

El amor de un padre por su hijo

"Amor" es una palabra que se utiliza con gran frecuencia; también es un término que puede confundirnos mucho. Esto se debe a que existen diferentes clases de amor. El tipo de amor del que me ocuparé más en este libro, es el amor que un padre siente por su hijo. No hablaré sobre otro tipo de amor, como podría ser el amor entre mamá y papá o el amor de un niño hacia su padre. La palabra "amor" también puede parecer difícil de entender porque la gente la usa con frecuencia para designar sentimientos muy diferentes. Esto es especialmente cierto en el caso de los padres divorciados. Hablaremos de ello más adelante. En este capítulo, trataré de aclararles algunas cosas sobre el amor que confunde mucho a los hijos de parejas divorciadas.

Sentimientos contradictorios

Un aspecto importante que hay que recordar acerca del amor es que éste no permanece igual todo el tiempo. No importa cuánto quiera una persona a otra, hay ocasiones en las que se tienen otros sentimientos −sentimientos de desagrado,

A veces es miedo.

A veces es soledad.

coraje o hasta de odio–. Normalmente existe una mezcla de sentimientos; a veces es amor, a veces odio, a veces miedo, a veces soledad y a veces muchos otros sentimientos más. Por eso es que digo que cuando una persona quiere a otra, no experimentará sólo sentimientos de amor hacia ella, sino una mezcla de otros sentimientos también.

Algunos niños piensan que está mal o que es indebido tener diferentes tipos de sentimientos hacia su madre o su padre. Creen que deben querer y amar a sus papás todo el tiempo. Esta es una idea errónea. Si tu madre hace algo que a ti no te gusta, no puedes tener sentimientos de amor hacia ella en ese instante. Generalmente, en ese momento tú experimentarás sentimientos de coraje o hasta de odio hacia ella. Esto es normal y así es como la gran mayoría de los niños reaccionan. Cuando a los pequeños se les enseña que no es bueno experimentar sentimientos de coraje o de odio hacia sus padres, con frecuencia se sienten mal al albergar esos sentimientos. Si estos niños supieran lo que les estoy contando ahora (que a veces un niño tiene sentimientos de odio y que esto es normal de la misma forma que es normal sentir amor), ellos estarían más tranquilos.

De la misma manera, algunos niños piensan que sus padres no deben tener sentimientos contradictorios; creen que un padre sólo debe sentir amor. Esto no puede ser. Hasta el padre más cariñoso tiene de vez en cuando sentimientos de odio o coraje hacia sus hijos. Cuando el niño hace algo que lastima al padre, es lógico que éste se enoje con su hijo y que por un rato no sienta amor por él. Más tarde, el padre volverá a querer al niño. Cuando dos personas se quieren, se quieren la mayor parte del tiempo pero *no todo el tiempo*. Los padres y los niños no son diferentes en este sentido a como serían con sus amigos. Algunas veces se quieren y otras veces no. Pero es una cariñosa amistad en donde hay mucho más amor que cualquier otro sentimiento.

Algunas personas piensan que sólo porque una persona es padre, tiene que querer siempre a sus hijos. Esto no es así. No obstante que la mayoría de los padres tienen casi siempre sentimientos de amor hacia sus hijos, algunos padres tienen muy poco de estos sentimientos y otros padres definitivamente no los quieren. Afortunadamente, estas personas son rarísimas.

Cómo algunos padres confunden a sus hijos con respecto al amor

Es muy difícil para un niño saber si su padre lo quiere muchísimo, muy poco o nada. La mayoría de los padres aman muchísimo a sus hijos. Algunas veces, los padres que realmente quieren muy poquito o nada a sus hijos, les dicen que el amor que sienten por ellos es enorme. Esto confunde a los niños y por esta razón no podemos confiar en lo que una persona afirma con respecto al amor que tiene por nosotros.

Para un niño que es hijo de una pareja divorciada, es aún más complicado saber cuánto lo quieren sus padres. Cuando un padre se separa de su familia, sus hijos a menudo piensan que los dejó porque no los quería. La mayoría de las veces esto no es verdad. El padre tuvo que irse porque él y mamá ya no deseaban vivir juntos. Normalmente el padre ama mucho a sus hijos y desea vivir con ellos. Se siente muy mal al tener que alejarse de su lado. Sin embargo, sí hay algunos padres que se van de la casa y no quieren a sus hijos o los quieren muy poco. En algunas ocasiones, un padre divorciado no ama a sus hijos y, no obstante, la madre les dice que su papá los quiere, a pesar de que ella sabe muy bien que es mentira. La madre pudo haber leído que eso es lo que debía decirles a los niños por lo tanto, lo repite constantemente ya que piensa que es lo mejor para sus hijos. La madre realmente está convencida de que les está haciendo un bien diciéndoles que su padre los quiere aun cuando sabe que esto no es cierto. Sería mejor para los niños conocer la verdad: que su padre los quiere muy poquito, que no los quiere en absoluto o que la madre no sabe con certeza cuánto los quiere. Si les habla con sinceridad, los hijos podrán tener confianza en su madre y creerán lo que ella les diga, confundiéndose menos con respecto a la magnitud del amor que su padre siente por ellos.

Algunas madres nunca se expresan mal del padre porque piensan que de esta manera los niños lo seguirán queriendo, incluso después del divorcio. Para lograrlo, estas mamás frecuentemente tienen que decirles a sus hijos cosas que no son verdad y ocultan las cosas malas que ha hecho el padre. Si tu madre hace esto es porque piensa que es mejor para ti no conocer los errores de tu padre. Pudo hasta haber leído que no era conveniente contarte cosas negativas de tu padre, o puede pensar que sólo amarás a una persona perfecta. Pero realmente nadie es perfecto y cuando queremos a alguien, significa que lo queremos a pesar de que algunas de las cosas que hace o dice están mal. Todo el mundo tiene cosas buenas y malas. Cuando decimos que queremos a alquien, esto quiere decir que existen más cosas que nos gustan de esa persona que cosas que no nos gustan.

Si tu madre hace esto, sería mejor que fuera honesta y te platicara algunas de las cosas buenas de tu padre así como algunas de las malas. Esto te ayudará a saber qué te gusta y qué no te gusta de él, qué quieres y qué no quieres, qué amas o qué no amas en él, así como a distinguir cuándo él te ama y cuándo no. Cuando una madre no comenta con sus hijos ninguno de los defectos del padre, y nada más habla de él como si éste fuera perfecto, sus hijos entonces pueden muy bien preguntar: "si mi padre es una persona tan increíble, ¿por qué te divorciaste de él?".

Esto no quiere decir que tu madre tiene que contarte todos los errores que tu padre ha cometido. Algunas cosas son muy personales. De la misma manera en que tú tienes pensamientos y sentimientos muy tuyos que tu mamá no tiene derecho a conocer, ella también tiene el derecho de guardarse ciertas cosas para ella sola. Estas cosas personales normalmente están relacionadas con el divorcio. Ella te puede decir algunas de las cosas, pero tiene el derecho de no hablar sobre otras.

Hemos estado comentando cómo las mámas esconden a sus hijos los defectos del padre. El padre puede también hacer esto con los errores de la madre e intentar convencer a sus hijos de que su madre es perfecta, aunque él sabe que no es cierto. No está bien que un padre haga esto, por las mismas razones por las cuales no es correcto que una madre lo haga.

Algunos padres piensan que si admiten sus propios errores ante su familia, sus hijos los van a querer menos o dejarán de amarlos. Este tipo de madres y padres creen que sus hijos sólo los van a querer si son perfectos y por ello tratan de ocultar todos sus defectos. Pero nadie es perfecto. Un padre que actúa así no se da cuenta de que si una persona se equivoca y está dispuesta a reconocerlo, sus hijos van a tenerle más cariño y respeto y no menos amor. Generalmente admiramos más a alguien que es suficientemente fuerte como para admitir sus errores. Sólo cuando un padre comete errores muy grandes y graves, el niño pierde el respeto y el amor que le tenía.

Cómo saber si alguien te quiere

Imagínate que un padre se va de la casa para nunca volver. Imagina que te dice que te quiere cuando realmente es mentira. Imagina que los padres divorciados nunca, o casi nunca, comentaran los aspectos negativos de su pareja enfrente de sus hijos. Así, ¿cómo puede un niño saber cuánto se le quiere?

Si éste es tu problema, puedes contarles a tus padres algunas de las cosas que acabas de leer en este libro. Tal vez aceptarán que han cometido un error al ocultarte cierta información y te dirán cosas que te ayudarán a decidir cuánto te quieren. Si te dicen cosas nuevas, te puede tomar muchos días, semanas o tal vez meses, antes de poder decidir por ti mismo lo que verdaderamente sienten por ti, pero empezarás a darte cuenta si te quieren mucho, poquito o nada.

Una de las formas de saber cuánto te quiere tu padre es observando con qué frecuencia quiere estar contigo. Esto no quiere decir que una persona sólo te ama si quiere estar contigo todo el tiempo; tan sólo significa que la persona que te quiere *tratará* de estar contigo tan seguido como pueda. Usualmente, el padre tiene que trabajar todo el día, la madre debe encargarse de la casa y ambos deben hacer muchas otras cosas también. Pero cuando éstas otras cosas *siempre* parecen ser más importantes, cuando parece que tú *siempre* eres el último en recibir su atención, entonces es posible que este padre no te quiera mucho. Si un padre divorciado vive cerca pero casi nunca visita a su hijo, puede estar demostrando que no lo quiere mucho.

Otra forma de saber cuándo te quiere tu papá es fijándote en qué hace para ayudarte cuando estás en problemas, o en cuánta preocupación demuestra cuando estás enfermo, lastimado o en dificultades. Un padre que te quiere, se esforzará mucho para ayudarte cuando lo necesitas y se pondrá triste e intentará comprenderte cuando estés en problemas.

Otra manera de saber si eres amado es observando qué tan contentos y orgullosos se ponen tus padres con las cosas que aprendes a hacer. ¿Sonríen con gusto cuando les enseñas algo nuevo que hiciste o aprendiste? Si parecen aburridos o te contestan con indiferencia, entonces puede ser que no te quieran mucho. Otra forma sería viendo si están orgullosos de ti. Los padres que quieren a sus hijos, desean que sus amigos los conozcan y también se sienten orgullosos de contarle a la gente todas las cosas buenas que sus niños han hecho. Si tus padres nunca o casi nunca hacen esto, puede ser que no te quieran mucho.

Otra de las formas en que puedes investigar si te quieren, es fijándote si tus papás disfrutan haciendo cosas contigo. No importa tanto *qué* hagan, lo importante es hacerlo juntos y que a ellos les guste compartir esos momentos contigo. No existe mucho amor si un padre casi nunca quiere hacer cosas con su hijo.

Si tu padre se enoja o te regaña algunas veces durante el día, no significa que no te quiera. Que esto suceda algunas veces al día es totalmente normal. Todos nos enojamos unos con otros de vez en cuando y eso no tiene nada que ver con lo mucho que nos queremos. Pero si tu padre se enoja contigo casi todo el tiempo, todos los días, entonces probablemente tiene muy poco o ningún amor por ti.

Otra forma de conocer cuánto te quieren tus padres es viendo si les gusta abrazarte y tocarte. Claro que entre más grande seas, tus papás te abrazarán con menos frecuencia. Pero las personas que quieren a sus hijos, suelen tocarlos mucho y hacerles cariños aunque sea por un segundo o dos. El amor es algo muy complicado y existen aspectos de este sentimiento de los que no he hablado todavía. A menudo, a los niños les cuesta mucho trabajo entender lo que les acabo de explicar.

Por eso es mejor comentar todo lo que te he dicho con un adulto, para asegurarnos de que lo entendiste bien ya que hay niños que, después de leer lo que acabo de contar, piensan que su padre no los quiere cuando realmente no es cierto. Lo que sucede es que estos niños no entendieron bien lo que yo dije.

Qué puedes hacer cuando un padre no te quiere

Imagina que después de leer estas cosas y de discutirlas con un adulto, llegas a la conclusión de que uno de tus padres o los dos no te quieren mucho. ¿Qué quiere decir esto y qué puedes hacer al respecto?

Primero que nada (y esto es muy importante), el que no te quieran no significa que seas un niño malo o que *nadie* más te amará. Si un padre no te quiere, se está perdiendo algo increíble porque está desperdiciando la oportunidad de disfrutar lo bonito y divertido que es amar a alguien. Si él no es capaz de quererte a ti que eres su propio hijo, hay algo que realmente está muy mal en él. Esto no significa forzosamente que tú también estás mal. Te repito, si un padre no ama a su hijo, no quiere decir que el niño no es suficientemente bueno para ser amado, que es malo o que nadie nunca lo querrá. Esto sólo quiere decir que existe algo que no está bien en el padre y que no le permite amar a su propio hijo.

Es muy triste para un niño darse cuenta de que su padre no lo quiere. Se siente engañado y desea con todas sus fuerzas ser como los demás niños, que tienen la suerte de contar con dos padres que los quieren. Pero el estar triste y sin hacer nada no lo hace sentir mejor, tan sólo logra que la tristeza se quede en él. Únicamente haciendo algo, se puede lograr que tu tristeza desaparezca.

Ahora, ¿qué se puede hacer?

Es muy difícil conseguir que un padre que no te quiere, te quiera. Algunas veces un niño hace cosas que provocan que el padre lo quiera menos. Con frecuencia, platicar con los papás ayudará al niño a saber cuáles son las cosas que les molestan de él y también podrá saber si puede corregirlas para mejorar su relación y lograr que su padre lo quiera más.

Si esto no funciona, lo mejor que puedes hacer es desistir de conseguir el amor de tu padre.

Algunos niños tratan durante años de ganarse el amor de un padre que simplemente no puede o no quiere dárselo. Estos intentos fallidos sólo hacen que el niño se sienta cada vez más triste y enojado.

En estos casos, es mejor aceptar que no vas a lograr ganarte su amor y empezar a tratar de obtener el amor y la amistad de otras personas. Quizá haya muchos familiares y amigos, viejos y jóvenes, que te querrán y se preocuparán por ti. Hay dos cosas importantes que debes recordar.

1. Si uno de tus padres no te quiere, esto no significa que tú seas una persona mala o que nadie más te pueda querer y,
2. Si uno de tus padres no te ama, no debes perder mucho tiempo tratando de cambiarlo. Busca el amor que necesitas en otra persona.

Existe un dicho que reza: "no trates de sacar agua de las piedras". Para aquellos que no conocen este dicho o que no lo entienden muy bien, les diré que quiere decir que si alguien no puede o no desea darte algo, entonces es mejor que lo olvides. No sigas tratando de obtenerlo porque si lo haces, será como "tratar de sacar agua de las piedras". Si estás buscando agua, ve a donde hay agua y no a donde sólo hay piedras y todo está seco. Si buscas amor, ve con la persona que te lo dará y no con la que no te lo dará.

No a donde está seco.

Hay que ir a donde hay agua.

4

El coraje y sus usos

La utilidad del coraje

La gente tiene diferentes tipos de sentimientos y cada uno de ellos aparece en un momento determinado.

La alegría es un sentimiento que aparece cuando las cosas están muy bien.

La tristeza es lo que sentimos cuando las cosas no van bien.

Sentimos *miedo* cuando algo nos asusta.

Coraje es el sentimiento que aparece cuando queremos algo que no podemos tener o cuando pensamos que nunca lo tendremos.

Este niño está enojado porque quiere un helado y su mamá le dice que no puede tenerlo porque ya casi es hora de la comida.

El coraje sirve para algo. Te ayuda a tratar de conseguir lo que piensas que no puedes tener. Algunas veces funciona y logras obtener lo que quieres. Pero otras veces no te ayuda mucho y no logras lo que quieres.

El amigo de este niño tomó su barco de juguete y eso le molestó mucho. Mientras estaba enojado, le arrebató el barco al otro niño y le dijo que más le valía no volver a hacerlo.

Esta reacción le dio buen resultado ya que su amigo lo dejó en paz. El coraje le ayudó a recobrar su juguete, y por eso después de recuperarlo se olvidó de su enfado.

Esta niña estaba jugando con un niño más grande que ella. Él agarró su pelota y la niña se enojó mucho e intentó recuperarla. Pero como el niño era más fuerte y grande que ella, no pudo quitársela. En este caso el coraje no la ayudó y siguió sintiéndose triste y enojada porque había perdido su pelota.

Como puedes ver, el coraje algunas veces te ayuda a conseguir lo que tú crees que no puedes tener, pero no siempre
es así. Algunas veces sí funciona y otras no. Una cosa sí es segura: si no usas tu coraje para ayudarte, vas a tener menos oportunidades de obtener lo que tú pensabas que no lograrías
conseguir.

Esta niña estaba jugando con una amiga que tomó una de
sus muñecas. A pesar de estar muy molesta, ella no le demos-
tró su enojo ni trató de recuperar su muñeca; así, la amiga se
quedó con el juguete y la niña se puso muy triste. Si ella hubie-
ra mostrado que estaba enojada, posiblemente habría recu-
perado su muñeca.

El coraje surge cuando no puedes obtener lo que tú quieres pero también puedes usarlo para tratar de conseguirlo. A veces te dará resultado y a veces no. Si funciona, se te quitará el enojo. Esta es la mejor manera de dejar de estar enojado. Si no funciona, seguirás enojado por un tiempo. Es mejor mostrar ese enojo y usarlo para ayudarte pues así vas a tener mayores oportunidades de obtener lo que tú pensaste que no ibas a conseguir.

Ahora, ¿qué puedes hacer si ya expresaste tu coraje y trataste de usarlo para obtener algo, pero no has conseguido lo que querías?

Sustitutos para las cosas que quieres

Una de las cosas que debes hacer es desistir de obtener lo que no lograste conseguir y buscar algo diferente en su lugar, algo que puede ser tan bueno o casi tan bueno como lo que deseabas. Esta nueva cosa se llama *sustituto*.

Este niño quiere pastel. Su mamá le dice que ya se acabó. Él se enoja mucho porque no le dan pastel. Seguirá enojado mientras insista en comer un pastel que ya se terminó.

En eso, decide que un dulce le va a dar tanta alegría como el pastel. Cuando se le da el dulce, que es el sustituto, ya no está enojado.

La mayoría de los hijos de padres divorciados están muy enojados porque quieren que sus papás se casen otra vez y ellos no lo van a hacer. Los padres dicen que se divorciaron porque ya no se querían y porque no vivían contentos juntos. Por lo tanto, no piensan volverse a casar nunca más. Estos niños van a permanecer enojados mientras traten de lograr que sus padres vuelvan a estar juntos. Van a continuar molestos mientras sigan esperando que sus padres cambien de opinión. No dejan de tratar y de esperar y mientras continúen así, seguirán sintiéndose enojados.

Esta niña se la pasa haciendo berrinches porque su papá casi no la visita. Cuando finalmente se convenció de que con sus berrinches no conseguía que él fuera a verla más seguido, dejó de gritar y llorar. Empezó entonces a jugar con otros niños con más frecuencia y esto le ayudó a extrañar menos a su padre. Sus amigos fueron un sustituto de su padre; al convivir con ellos se sintió mejor y dejó de enojarse tan a menudo.

Cambiando de opinión sobre las cosas
que quieres

Cuando un niño está enojado porque quiere algo que no puede tener, pero platica con sus padres sobre esto, descubre que algunas veces no está bien o es injusto desear lo que quiere. Si deja de desearlo, ya no va a estar enojado. Así, si cambiamos de opinión con respecto a algo que queremos, ya no estaremos enfadados. Por ello, es muy importante hablar con tus padres acerca de tu coraje ya que de este modo te darás cuenta de si tienes o no el *derecho* a querer esa cosa.

Ella se enoja...

Esta niña estaba muy enojada porque su mamá salía con un señor una o dos veces a la semana. Después de platicar con ella, la niña poco a poco se dio cuenta de que su mamá también tenía derecho a divertirse y por lo tanto, dejó de enojarse tanto cuando ella salía.

... hasta que entiende.

Cambiando de opinión sobre la persona hacia la cual sientes coraje

En algunos casos, la mamá divorciada le repite a cada rato a su hijo que su padre lo odia, que ella es la única que lo quiere y que sólo a ella le debe tener confianza. Esta madre puede ocasionar que el niño piense que su padre es su enemigo y que éste lo va a tratar muy mal si él se lo permite. Entonces, cuando el niño está a solas con su papá y éste hace algo que a su hijo no le gusta, el niño cree que esta acción comprueba que su padre en verdad lo odia y que su madre tenía razón. Debido a que está a solas con su padre, se siente temeroso y puede enojarle muchísimo el tener miedo de que su padre le haga cosas muy feas.

En otras ocasiones es el padre quien le dice al niño que su madre no lo quiere. Así, cada vez que la madre haga algo que a su hijo no le guste, éste pensará que su padre tenía razón.

Estos niños deben tener presente que los padres que se han divorciado, frecuentemente se expresan mal del otro y dicen cosas muy desagradables que tal vez no sean ciertas. Cada uno de ellos tiende a ver a la otra persona como la que odia, tanto a su ex pareja como a sus hijos. Si una madre le dice a su hijo que su padre lo odia o si un padre le dice a su hijo que su madre lo odia, el niño no debe creerlo tan fácilmente, ya que generalmente es falso. Es muy, muy raro, que un padre realmente odie a su propio hijo. Si es estricto con él, es porque se preocupa por su bienestar y porque lo quiere. Esto no significa, de ningún modo, que lo odie.

Por tanto, si un niño está enojado con alguno de sus padres porque piensa que lo odia, va a estar mucho más tranquilo cuando se dé cuenta de que no es cierto.

No eres malo si te enojas

Algunos padres creen que es terrible que un niño exprese sentimientos de coraje. Aunque se hayan divorciado, piensan que es incorrecto que sus hijos se enojen con ellos. Esto no está bien, pero hay que recordar que los padres no son perfectos y que a veces tienen ideas equivocadas. Pueden decir cosas como: "Qué niño tan terrible eres al decirme esas cosas tan horribles, a mí que soy tu madre. No deberías ni siquiera pensar en cosas como ésas". O el padre quizá no sepa lo que les conté acerca de los sentimientos contradictorios y puede decirle a su hijo que es un niño muy malo si no ama a sus padres todo el tiempo. Al decir algo así, los padres hacen sentir muy mal al niño cuando éste se enoja con ellos, aun si esto sólo ocurre muy rara vez. Él, tal vez no sabe que todos los hijos se enojan con sus papás de vez en cuando, especialmente si se han divorciado.

Esta niña nunca le dijo a su papá lo enojada que se sentía cuando él llegaba tarde a visitarla los domingos. Ella pensaba que no estaba bien enojarse con sus padres y, por lo tanto, su papá seguía llegando tarde y ella se enfadaba cada vez más. No sólo se sentía mal consigo misma cuando se enojaba, sino que, como no le decía nada a su padre, éste continuaba llegando tarde. Entonces, ella tenía que pasar menos tiempo con él.

Algunos niños se sienten tan mal por estar enfadados que tienen miedo de hablar sobre sus sentimientos, aun cuando se enojen muy rara vez. ¡Otros le tienen tanto miedo a su enojo, que ni siquiera se permiten pensar en él! Han llegado a creer que sólo el peor, el más malo de todos los niños, es quien tiene pensamientos de coraje hacia sus padres. Ellos no saben que la mayoría de los niños se enojan mucho con sus padres y que los únicos que no lo hacen son aquellos a los que se les ha enseñado que es terrible hacerlo, lo cual no es cierto.

Como estos niños no expresan su coraje, no logran obtener muchas de las cosas que podrían conseguir si expresaran su coraje.

Esta otra niña sí le dijo a su padre lo enojada que se ponía cuando él llegaba tarde; su papá le contestó que los niños nunca deben enojarse con sus padres, entonces ella le explicó que esta idea estaba mal y que ella continuaría enojándose si él seguía llegando tarde. El padre pensó en lo que la niña dijo y supo que tenía razón, entonces comenzó a llegar a tiempo y ella no se enojó más.

Ahora, él llega a tiempo y ella no se enojará más.

Esta niña le dijo a su padre lo enojada que se ponía cuando él llegaba tarde. Le dijo que ella continuaría enojándose si él seguía llegando tarde. Su papá le contestó que no debía molestarse con él por nada de lo que hiciera, ya que un hijo nunca debe enojarse con su padre. Él continuó llegando tarde. Pero ella poco a poco aprendió que aunque su padre tenía muchas ideas buenas, también tenía otras equivocadas en lo que se refiere al coraje. Por ello trató de cambiar su manera de pensar ya que así no estaba logrando nada. También logró enten-

Esta niña hace otras cosas en vez de esperar.

der que su padre no la quería lo suficiente como para querer compartir gran parte de su tiempo con ella. Ahora ella hace otras cosas en vez de esperarlo. Ya no cuenta con él tanto como hacía antes y, por lo tanto, está menos enojada.

Los pensamientos de enojo no pueden herir a nadie

Cuando son muy pequeños, los niños piensan que todo lo que desean puede volverse realidad y que cualquier cosa que imaginen va a suceder. A medida que van creciendo se dan cuenta de que esto no es cierto, de que el solo hecho de pensar en algo, no provoca que pase y que anhelar que algo ocurra no siempre es suficiente para que suceda.

Sin embargo, hay algunos niños que crecieron y no aprendieron esto. Ellos siguen creyendo que sólo por tener una fantasía, ésta puede volverse realidad. Algunos de estos niños creen que si tienen pensamientos de coraje hacia alguien, lo que están pensando realmente va a ocurrir.

Esta niña estaba tan enojada con su padre porque se había divorciado, que se la pasaba pensando en que ojalá se enfermara o sufriera un accidente. Estos pensamientos le daban mu-

cho miedo ya que temía que se volvieran realidad. No sólo le asustaba hablar sobre las cosas que le causaban enojo, sino que hasta el simple hecho de pensar en ellas la atemorizaba. Ella no sabe que desear algo no basta para que suceda, no importa qué tan a menudo y con cuántas ganas se piense en ello.

Ocasionalmente, un niño que está muy enojado con alguno de sus padres desea que éste se enferme o se muera. En eso, algo parecido realmente le ocurre al padre. Esto no significa que sus pensamientos hicieron que la persona enfermara o muriera. La persona se murió porque estaba enferma o porque sufrió un accidente y no por los deseos y pensamientos del niño. La persona se habría enfermado o muerto de todos modos y esto no tiene ninguna relación con los pensamientos del hijo. De hecho, no importa cuánto deseemos que alguien se enferme o se muera, el deseo no va hacer que esto suceda.

Por esta razón, algunos niños temen expresar coraje o enojo o evitan pensar en situaciones que les causan estos sentimientos. Cuando aprenden que los pensamientos por sí solos no pueden lograr que las cosas pasen, expresan su coraje y lo usan para tratar de obtener lo que desean.

Pensamientos y sentimientos de coraje

El coraje se compone de dos partes: los *pensamientos* de coraje y los *sentimientos* de coraje. Es importante para ti entender la diferencia entre estas dos partes.

Cuando estás enojado con alguien, puedes tener pensamientos que se relacionen con situaciones que hieren o hasta matan a la persona. Quizá algunas groserías crucen tu mente. Los sentimientos de coraje son sentimientos que acompañan a estos pensamientos. Casi siempre es mejor dejar salir estos sentimientos pero no diciendo exactamente lo que estás pensando ya que esto puede lastimar los sentimientos de otras personas y puedes meterte en problemas. Es mejor contarlo usando palabras que sean más apropiadas y no con las groserías que tienes en la mente. Lo importante es que dejes que tu coraje te ayude a obtener lo que quieres.

Esta niña estaba muy enojada porque su padre llegaba tarde a visitarla todos los domingos. Algunas veces ella se enfadaba tanto con él, que deseaba que lo atropellara un coche. Muchas groserías también cruzaban por su mente. Todos estos pensamientos estaban ahí junto con sus sentimientos de enojo y coraje.

Un día, le dijo a su padre que le molestaba mucho que él llegara tarde. Aún estaba enojada cuando le platicó esto a su papá. No obstante, permitió que sus sentimientos de coraje salieran pero no le dijo que deseaba que lo atropellara un coche ni tampoco le contó todas las groserías que había pensado. Ella sabía que lo lastimaría si lo hacía y además, su padre le había dicho que estaba bien usar muy de vez en cuando algunas palabras groseras con amigos pero nunca con sus padres o con sus maestros. A partir de entonces, su padre trató de llegar puntualmente y la niña dejó de tener esos pensamientos y sentimientos de coraje.

Cosas importantes que debes recordar
sobre el coraje

Antes de terminar este capítulo, me gustaría repetir algunas de las cosas que ya dije para estar seguro de que las entendiste claramente.

1. El coraje es un sentimiento que la gente tiene cuando quiere algo que piensa que no puede conseguir. Por esta razón los hijos de padres divorciados se enojan, ya que quisieran que sus padres volvieran a estar juntos y esto es algo que ellos no pueden lograr.
2. El coraje puede ayudarte a obtener ciertas cosas que al principio pensaste que no ibas a conseguir. El coraje desaparece cuando obtienes lo que quieres.
3. Si no es posible lograr lo que quieres, el coraje puede desaparecer si obtienes otra cosa a cambio. Esta otra cosa se llama *sustituto*.
4. Todo el mundo se enoja a veces y tú no eres un niño malo o terrible si tienes pensamientos o sentimientos de coraje aunque éstos vayan dirigidos hacia tus padres.
5. El tener pensamientos de coraje hacia alguien no va a herirlo.
6. El coraje se compone de dos partes: los pensamientos de coraje y los sentimientos de coraje. Con frecuencia es muy útil dejar salir los sentimientos de coraje, pero muchas veces, no es conveniente decirlo que estamos pensando cuando estamos enojados; es mejor tratar de expresarnos con palabras apropiadas que nos van a ayudar más eficazmente a obtener lo que queremos.

5

El miedo a quedarse solo

El hombre que tenía sólo un ojo

La mayor parte de las personas que tienen dos ojos no tienen miedo de que algo le vaya a pasar a su vista. Si un hombre que tiene dos ojos sufre un accidente o una enfermedad que provoca que pierda uno de sus ojos, sabe que aún le queda el otro ojo sano y que con él, puede seguir haciendo casi todo lo que solía hacer antes del accidente.

Sin embargo, cuando un hombre tiene sólo un ojo, normalmente se preocupa por no perderlo y lo cuida mucho para que no le vaya a pasar nada, pues si algo le sucediera al único ojo que tiene, se quedaría completamente ciego.

Los niños que tienen sólo un padre son como un hombre con un solo ojo. Cuando tenían dos padres, no se preocupaban por lo que pasaría si tuvieran sólo uno. Pero cuando se quedaron solamente con un padre, se asustaron muchísimo. Se preocuparon de que algo le pasara a ese único padre ya que si algo le ocurriera, ellos se quedarían solos y por lo tanto, temen que algo terrible les suceda.

Temen no tener un lugar en dónde vivir, no tener comida, ropa o a alguien que los cuide. Pueden hasta tener miedo de morirse.

No hay razón para que un hijo de padres divorciados se preocupe por estas situaciones, ya que hay muchas cosas que puede hacer para solucionar su problema.

Aún tienes dos padres

Primero que nada, los niños de padres divorciados aún tienen dos padres. A pesar de que viven separados, los dos siguen vivos y casi siempre son capaces de cuidar de sus hijos. Si algo le pasara a alguno de ellos, el niño puede vivir con el padre que aún vive.

Los papás de esta niña estaban divorciados y ella vivía con su madre. Pero su mamá murió y la niña se puso muy triste. Ahora vive al lado de su padre. Ya que él tiene que trabajar para poderle dar las cosas que necesita, la cuida una buena muchacha que vive con ellos. La señora es quien arregla y cuida la casa, es una empleada doméstica. Naturalmente, a la niña le gustaría seguir viviendo con su madre, pero no es tan desdichada como al principio pensó que lo sería.

Sin embargo, a veces sucede que un niño no puede vivir con ninguno de sus padres. Esto no pasa muy a menudo, pero hay diferentes alternativas para cuando esto ocurre.

Vivir con familiares o amigos

La mayoría de los niños tienen familiares con los que pueden vivir. Normalmente una tía, un tío, un primo, un abuelo o hasta un buen amigo de sus padres podría encargarse de él.

Puede ser que esto no sea tan agradable como vivir con sus propios padres, pero es una de las formas en las que un niño puede recibir los cuidados que requiere. Si tienes muchos familiares o si tus padres tienen muy buenos amigos, es posible que si algo les pasara, tú podrías vivir con algunas de estas personas. Hay niños que se preocupan mucho porque no saben qué les pasaría si algo les sucediera a sus padres. Sin embargo, se sienten mejor después de platicar con sus papás y de saber cuáles son los planes que ellos tienen al respecto. Es una buena idea preguntarle a tus padres qué han planeado para ti en caso de que algo les sucediera a ambos. Si ellos no han pensado en esto, es conveniente que tú les sugieras que lo planeen. Diles que es muy importante para ti saber con quién vivirías si algo les llegara a ocurrir.

¿Qué pasa si un niño no puede vivir con sus padres, con los amigos de sus padres o con algún pariente? Existen otros lugares en los que puede vivir y en donde se le cuidará.

Internados

Uno de esos lugares es el internado. Un internado es un lugar en donde viven los niños y en el que también van a la escuela. En el mismo sitio tienen edificios en donde toman sus clases y casas en donde viven y comen. También ahí mismo hay espacios para hacer deportes y jugar. Todo está junto y comúnmente se localizan fuera de la ciudad. Sin embargo, hay algunos de estos lugares que sí están dentro de la ciudad. En los internados hay adultos que viven con los niños. Con frecuencia son matrimonios a los que les gusta encargarse de los niños como si éstos fueran sus propios hijos. Como todo está en el mismo lugar, los niños llegan a conocer a sus maestros mucho mejor. Algunos niños que no mantienen una buena relación con sus padres, logran entablar una excelente amistad con sus maestros y con otras personas que viven ahí y llegan a quererlos mucho. Cuando esto sucede, los niños se sienten muy felices en el internado.

Hay muchos niños y niñas que viven en internados todo el tiempo y así, si no quieren estar solos, nunca lo estarán. Muchos niños de padres divorciados tienen que vivir en lugares donde hay muy pocos o ningún niño con los mismos problemas que ellos. Pero en los internados normalmente encuentran a más niños que están en su misma situación. Esto los ayuda a sentirse menos diferentes de los demás niños y menos tristes por el divorcio de sus padres.

En los internados hay días de visita en los que el niño puede ver a sus padres, a otros de sus familiares o a sus amigos. Asimismo, hay momentos en los que el niño puede salir del internado para visitar a alguien. Sin embargo, por más agradable que sea un internado, no se compara con vivir en casa con dos padres que están felizmente casados y que quieren a sus hijos. Pero en ocasiones, ésta puede ser la mejor alternativa para un niño cuyos padres se han divorciado.

Casi todos los niños se sienten tristes cuando tienen que irse a vivir por primera vez a un internado. Creen que se les está mandando ahí porque han sido malos niños o porque sus padres no los quieren. Generalmente esto no es cierto. Muchos de los niños son enviados a esos lugares porque es lo mejor que sus padres pueden hacer por ellos en ese momento. Si estos niños vivieran en su casa, tal vez no recibirían toda la atención y cuidado que merecen y necesitan.

Aunque es triste decirlo, también existen algunos padres que mandan a sus hijos a internados porque no los quieren mucho y sólo desean librarse de ellos. Afortunadamente, hay muy pocos padres que piensan así. Estos niños, claro está, son muy infelices. Pueden hasta creer que esto significa que no sirven para nada y que nadie los quiere ni los querrá. Pero estos niños pueden encontrar amigos en los internados con lo cual lograrán sentirse un poco mejor. Es muy importante para estos niños recordar que el hecho de que sus padres no los quieran mucho, no significa que ellos no sean buenos o que nadie nunca más los querrá.

Muchos niños tienen miedo de ir por primera vez a un internado, pero hay que reconocer que las situaciones nuevas siempre dan miedo, incluso a la gente grande. Casi siempre, después de unos días estos pequeños se dan cuenta de que el lugar comienza a gustarles y pierden el miedo.

Hogares sustitutos

Ahora quiero hablarles sobre los hogares sustitutos. Cuando un niño no puede vivir con alguno de sus padres, en ocasiones se va a vivir a una casa sustituta, en la cual recibe los cuidados que necesita hasta que crece. En dichos hogares, suele haber una madre y un padre sustitutos que pueden o no tener hijos propios. Tal vez tengan uno o más niños de otras personas viviendo con ellos también. Normalmente, los padres en estos hogares quieren mucho a los niños y los niños que viven con ellos se sienten muy contentos ahí. Algunos niños de padres divorciados son más felices en un hogar sustituto, de lo que eran o serían si vivieran con uno de sus padres.

Algunas veces, los hogares sustitutos no son muy agradables. La madre sustituta puede querer más a sus propios hijos que a los otros niños y tal vez se haga cargo de los demás sólo por el dinero que le pagan. Cuando esto sucede, el niño probablemente sea cambiado a otro hogar sustituto si les dice a las personas que lo enviaron ahí, que se siente infeliz. Si esto no funciona, el niño no puede hacer nada hasta que sea mayor.

Nuevamente, es importante recordar que siempre hay cosas que un niño puede hacer para sentirse mejor; una de ellas podría ser acercarse a niños y adultos que vivan fuera del hogar sustituto. Asimismo, puede imaginar el día en que será mayor, cuando será grande y fuerte y cuando podrá hacer muchas de las cosas que siempre anheló, pero no pudo realizar por ser pequeño; entonces podrá encontrar muchos amigos que lo quieran y con los que se entenderá muy bien. Si, por lo contrario, este niño pasa todo su tiempo pensando que el mundo nunca será un buen lugar para él, no importando qué haga, puede entonces perderse las cosas buenas que tiene la vida, cosas que cualquier persona puede tener si se esfuerza un poco por obtenerlas.

Y como puedes ver, ningún niño se queda solo, sin comida, ni ropa, ni una casa en dónde vivir o sin personas que puedan cuidarlo. A todo el mundo se le cuida de alguna forma. Este cuidado puede no ser tan bueno como el que un padre pudiera darle a su propio hijo, pero tampoco es tan malo como algunos niños a veces temen.

6

Cómo llevarte mejor con tu madre divorciada

Los niños que viven con sus madres divorciadas tienen ciertos problemas que otros niños no tienen. En este capítulo te voy a hablar de algunas de las dificultades que se pueden presentar y algunas de las cosas que puedes hacer para resolverlas.

El deseo de que tu madre vuelva a casarse

Muchos niños de padres divorciados desean que sus madres vuelvan a casarse. A ellos les gustaría que se casaran nuevamente con su padre y si no con él, entonces con otro hombre. Estos niños se la pasan preguntándole a sus madres una y otra vez, cuándo se van a casar. Esto normalmente molesta a la madre y la hace sentir mal con respecto a su divorcio. Sería un gran error que estas madres se casaran con un hombre que no aman, sólo porque piensan que eso hará felices a sus hijos. Si una madre se llegara a casar por esta razón, el hijo no estaría más contento, sino que se sentiría mucho más triste ya que su madre no sería feliz. Se enojaría con mayor facilidad, le estaría reclamando a cada rato cosas sin importancia y se suscitarían más peleas en casa. Todo esto por casarse con un hombre que no amaba. Recuerda, muchas veces es mejor vivir sin un padre que vivir con uno que tu mamá no ama.

Actuar como adulto con tu madre

Todos los hijos de padres divorciados tienen que hacer ciertas cosas que habitualmente le corresponden a la gente adulta y que otros niños posiblemente no necesitan hacer. Con frecuencia es necesario que ayuden a sus madres acompañándolas a ir de compras, cuidando a sus hermanos pequeños, limpiando y arreglando la casa. Esto está bien pues es muy sano para un niño hacer ciertos trabajos de adulto. Pero hay algunas madres que, porque se sienten muy tristes, tratan de hacer que sus hijos tomen el lugar de su esposo o que sus hijas tomen el lugar de sus amigas.

Este tipo de madres pueden querer que su hijo las acompañe a visitar a sus amigos o familiares y que se comporte más como su marido que como su hijo. Pueden pedirle su opinión con respecto a algunos asuntos cuando, en otras circunstancias, esa opinión se la habrían pedido a su esposo y no a él. Pueden decirle también cosas muy personales que las madres normalmente no les cuentan a sus hijos. Pueden querer que su hijo actúe como un adulto, acompañándolas al cine y a otras partes. Este tipo de madres pueden tomar la mano de su hijo y besarlo con mucha frecuencia.

Es normal y natural para los niños pequeños pasar cierto tiempo en la cama de su madre, especialmente antes de irse a dormir. A muchos chiquitines les gusta subirse a la cama de sus madres temprano por la mañana para que los apapachen; sin embargo algunas madres quieren que sus hijos se queden a su lado durante mucho tiempo y pueden hasta querer que se duerman con ellas toda la noche. Si esto sucede, los niños generalmente tendrán problemas cuando crezcan y conozcan niñas, con las cuales pueden llegar a salir y con quienes puedan llegar a casarse. Es una muy mala idea para un niño hacer todas las cosas junto con su madre. Debe tratar de no hacerlas, aunque ella se lo pida. Debe decirle que estas cosas pueden perjudicarlo y que lo más correcto y sano es que ella encuentre un hombre adulto que la acompañe.

También hay niños que tratan de comportarse como lo habría hecho su padre. Quieren hacer con sus madres muchas de las cosas que los adultos hacen, cosas parecidas a las que ya hablamos. Comportarse como adulto de vez en cuando es bueno para todos los niños, pero hacerlo muy seguido puede causarles conflictos. Probablemente tendrán problemas con sus amigos, quienes no van a querer estar con ellos porque suelen comportarse como adultos. Debido a esta actitud pueden seguir teniendo problemas con sus compañeros aun cuando ya sean mayores de edad.

Algunas madres que se sienten solas, buscan que sus hijas se vuelvan sus amigas, les piden consejos y tratan de hacer que las acompañen a visitar a sus amigos y familiares, como si la niña fuera una mujer adulta. Este tipo de madres pueden pedirles a sus hijas que no les digan mamá, sino que las llamen por su primer nombre. También pueden pedirles que se encarguen del hermano menor todo el tiempo. Si esto sucede, no es una buena idea para la niña caer en este juego. Debe sugerirle a su madre que busque amigas de su misma edad.

Actuar como un bebé con tu madre

Algunas madres tratan a sus hijos como si éstos siguieran siendo bebés, en vez de ayudarlos a actuar como niños de su edad. Siempre están preocupadas porque sus hijos estén bien vestidos o porque coman bien y casi nunca dejan que el niño haga pequeños trabajos en la casa. Pueden obligar a sus hijos a quedarse en casa mientras sus amigos juegan afuera. Esto no es correcto y estos niños deben intentar hacer todo lo posible para que sus madres ya no los traten como si fueran bebés.

Ciertos niños, entristecidos por el divorcio de sus padres, intentan llamar la atención de sus madres actuando como niños chiquitos. A algunas mamás les agrada esto y tratan a sus hijos como si fueran bebés. Una buena madre no trataría a su hija como bebé, aunque ésta quisiera que así fuera, ya que sabe que lo mejor que puede hacer por ella es ayudarla a crecer. Está consciente de que los otros niños no van a querer jugar con su hija si ésta se comporta como bebé y que más adelante puede volverse solitaria y sentirse triste, además de tener otros problemas.

Recuerda que lo mejor que puedes hacer es comportarte de acuerdo con tu edad. No trates de volver a ser un bebé, no importa qué tan bien pueda sentirse a veces serlo y tampoco trates de comportarte como un adulto.

El papá "buena onda" y la mamá "malvada"

Cuando un padre vive en la casa, tanto él como la madre hacen con su hijo cosas que son divertidas, como ir de día de campo, al parque, al circo o al cine. También unidos hacen cosas que no son tan divertidas como obligar a su hijo a que se vista, recoja su ropa o deje de jugar y se ponga a hacer la tarea. Ambos padres también lo castigan cuando hace algo mal y lo premian cuando hace las cosas bien.

Cuando los padres se divorcian, puede parecer que de lunes a viernes la madre tiene que hacer todas las cosas que no son tan divertidas mientras que los fines de semana el padre puede hacer las cosas que sí son divertidas. Ya que tu padre no te ve muy seguido, trata de divertirse contigo, sin embargo, tu madre tiene que asegurarse de que hagas las cosas bien, como comer a tiempo, ir a la escuela y dormir lo necesario. Debido a esto, un niño puede pensar que su padre es el "bueno" y su madre la "malvada".

Este niño no ve las cosas como realmente son. Considera que su madre es más mala de lo que realmente es. Si ella estuviera con él sólo los fines de semana, también trataría de hacer únicamente cosas divertidas. Este niño además ve a su padre como una persona que es mejor de lo que realmente es. Si él fuera de verdad un buen padre, también haría las cosas que no son divertidas con su hijo. En el próximo capítulo platicaremos de estas cosas y te contaré cómo algunos padres que pasan gran parte de su tiempo divirtiéndose con sus hijos y comprándoles lo que quieren, ocasionan que los niños se pierdan de muchas cosas importantes.

Cuando tu madre habla de tu padre

Algunas madres parecen ser buenas, excepto al hablar de su ex esposo ya que cuando lo hacen, se ponen de mal humor y dicen cosas que quizá no sean ciertas o pueden afirmar que él te odia a pesar de no ser verdad. Si esto pasa, no tomes muy en serio lo que tu mamá te está contando y mejor pregúntate si tu padre realmente es como tu madre dice que es. ¿Lo has visto hacer esas cosas malas de las que habla tu madre? ¿Lo has oído decir las cosas negativas que ella menciona? También tienes que usar tu propio criterio para decidir si tu madre está en lo correcto o no. Mientras tanto, hasta que se encuentre menos enojada podrás confiar más en lo que te diga. Aun a los padres que no están divorciados les pasa esto, por lo que es bueno que el niño sepa distinguir cuándo su padre no está de buen humor.

Si tu madre trabaja

Algunas veces una madre tiene que trabajar para que sus hijos puedan tener buena comida, ropa y un bonito lugar en el cual vivir. Si una mamá que trabaja también está divorciada, sus hijos se sienten aún más tristes y solitarios ya que no ven mucho a su padre y tampoco a su madre. Si tu madre trabaja porque quiere que vivas bien, no te ayudará en nada el pedirle que no trabaje. Probablemente ella preferiría no trabajar, pero tiene que hacerlo si quieres que te compre las cosas que necesitas.

Algunos niños piensan que si sus madres los quisieran, no trabajarían. Esto normalmente no es así. Tu madre lo hace porque necesita el dinero para ti y porque te quiere. Si no te quisiera, no iría al trabajo para ganar dinero y así poder comprarte las cosas que necesitas.

Algunas madres tienen suficiente dinero para comprarse las cosas que ellas y sus hijos necesitan, pero de todos modos trabajan porque les gusta su empleo o piensan que es interesante. El trabajar las hace sentir más contentas. Si no trabajaran podrían ser muy infelices. Sin embargo, los hijos a veces piensan que sus madres no los quieren mucho y que por eso no desean estar con ellos todo el tiempo. Esto casi nunca es así. El solo hecho de que una madre quiera pasar parte de su tiempo haciendo algo que le gusta, no significa que no ame a sus hijos. Tanto los niños como las madres tienen derecho a divertirse y a hacer cosas interesantes. De hecho, ya que el trabajar hace sentir mejor a las madres, ellas demuestran más su cariño a sus hijos.

Los hijos de madres que trabajan se dan cuenta de que si practican algún deporte o juegan con otros niños después de la escuela, no se sienten tan tristes o solos mientras su mamá trabaja.

Cuando tu madre empieza a salir con otros hombres

Ahora hablaremos de lo que pasa cuando tu madre sale a pasear con otro señor. La gente hace muchas cosas cuando sale con una pareja. Algunas veces va a cenar a un restaurante, al cine, al teatro o tal vez vayan a bailar y a encontrarse con otros amigos.

La mayor parte del tiempo, el niño no sale con su madre y el señor, a pesar de que muchas veces quisiera hacerlo. Las salidas de tu madre son privadas. Tú no tienes derecho de saber todo lo que pasa en su salida; con quién sale, a dónde va o qué hace. Así como tú tienes sentimientos, pensamientos y cosas que quieres que sean privadas, de la misma forma tu mamá tiene derecho a su privacía. Es normal que un niño tenga curiosidad e interés en estas cosas, pero también es normal que la madre no le cuente a su hijo todo lo que hace.

Las madres salen por muchas razones. Ya que tu mamá se divorció, probablemente ha estado triste y se ha sentido sola.

Al salir con un hombre, quizá se sienta menos sola y hasta pueda divertirse. Esto va a hacer que esté menos triste. De igual manera, así como tú tienes tiempo para divertirte, las salidas de tu mamá son sus momentos para divertirse. Así como a ti te gusta hacer cosas sin tu madre, aunque la quieres mucho, a ella también a veces le gusta hacer cosas sin ti. Ella espera que saliendo y conociendo gente, podrá encontrar a alguien a quien pueda amar y con quien pueda casarse. Espera también que el hombre que ella encuentre te quiera también a ti.

Muchos niños piensan que un hombre y una mujer deciden casarse rápido, poco tiempo después de conocerse. Algunos niños creen que la gente decide esto casi inmediatamente. Pero no es verdad. La gente normalmente se tarda mucho, incluso meses o años, antes de decidir si quieren o no casarse. Puesto que ésta es una decisión tan importante, quieren estar seguros de que se conocen bien el uno al otro y que se quieren lo suficiente como para desear vivir juntos el resto de sus

vidas. Esto sucede especialmente con personas divorciadas. Ya que fueron lastimados y sufrieron una decepción debido a un mal matrimonio, uno en el cual el amor no duró. Por eso tratan de tener muchísimo cuidado antes de volver a casarse y quieren asegurarse de que su nuevo matrimonio va a ser más exitoso.

Sin embargo, hay niños que no quieren que su madre se tarde mucho en decidir. Un niño puede estarle constantemente preguntando a su madre cuándo se casará y puede tratar de convencerla de que se case antes de que ella esté completamente segura de que ama al hombre con el que sale. Esta es una muy mala idea, ya que si una madre se casa con un hombre al que no ama porque piensa que esto ayudará a sus hijos, las cosas pueden empeorarse porque posiblemente ella se sentirá infeliz y se volverá regañona.

Ya que muchos niños anhelan tener un padre, quieren que cada hombre con el que su madre sale se vuelva su nuevo padre. Muchas veces se decepcionan si su madre deja de ver a ese hombre. Es importante recordar que la mayoría de las madres ven a muchos hombres antes de conocer al que puede ser su nuevo esposo. Y cuando finalmente lo conocen, suele tomarles mucho tiempo el decidir casarse con él. Si tú te pasas el tiempo esperando que cada hombre que sale con tu madre se convierta en tu nuevo padre, vas a tener muchas decepciones.

Algunos niños les preguntan a todos los amigos de su mamá, si van a ser sus nuevos padres. Esta pregunta suele ocasionar que los dos se sientan incómodos y no ayuda a que su madre se case más rápido. De hecho, esto puede hacer que tanto él como ella se tarden más tiempo en decidirse, ya que a nadie le gusta que lo presionen para casarse.

Tu madre generalmente puede solucionar este problema no presentándote a todos los hombres con los que sale y sólo haciendo que conozcas a aquellos que le gustan más y que ve con mayor frecuencia. Si tu madre te presenta a todos los hombres con quienes sale, tú puedes pedirle que no lo haga y que sólo te presente a aquellos a los que va a ver más seguido. De esta manera, te vas a decepcionar menos. Sin embargo, debes recordar que aun así, vas a tener decepciones. Asimismo, si tratas de entretenerte haciendo tus cosas, tendrás menos necesidad de depender de un nuevo padre.

Recuerda, todos los hombres que ve tu madre van a desaparecer tarde o temprano, con excepción del hombre con el que llegue a casarse y hay otras madres que nunca se vuelven a casar. Si tú piensas que tu vida se está desperdiciando por no tener un padre, siempre te sentirás triste y decepcionado. Sin embargo, si tratas de pasártela lo mejor posible sin un padre, divirtiéndote con tus amigos, aprendiendo y haciendo cosas, tu vida podrá ser más feliz.

Algunos niños creen exactamente lo contrario; no quieren que sus madres se vuelvan a casar. Tienen miedo de cada hombre con el que salen y tratan de evitar que lo hagan. Cuando conocen un nuevo hombre, a menudo se portan mal con él. Temen que si su madre se casa, les prestará menos atención y los querrá menos.

Estos niños tienen una idea equivocada acerca del amor y piensan que sus madres disponen sólo de cierta cantidad de amor. Están convencidos de que el amor es como un pedazo de pastel y si se le da la mitad a alguien, sólo queda la otra mitad. Esto no funciona así. Todos podemos querer a muchas personas al mismo tiempo. De hecho, el amor funciona de manera opuesta: entre más amor se da, más amor se tiene. Cuando una madre conoce a un hombre que es una buena persona y a la cual puede amar, se va a sentir mejor y va a ser más cariñosa con sus hijos. Muchos hijos no se dan cuenta de que entre más contenta esté su madre, más contentos estarán ellos a su lado.

Si los niños se portan mal y son groseros con cada hombre nuevo que llega a la casa, estos señores pueden asustarse y no regresar, lo cual hará que sea más difícil para su madre volver a casarse. Si estos niños supieran lo que les acabo de decir; que posiblemente serán más felices y no más infelices si sus madres se casan otra vez, entonces quizá no tratarían de deshacerse de cada hombre que su madre conoce.

Algunos niños están celosos de los hombres que salen con sus madres ya que se van juntos durante la noche o el día y, en ocasiones, hasta por varios días. Pueden abrazarse y besarse de vez en cuando. Estos niños deben recordar que algún

día, cuando crezcan, también tendrán la libertad de cor a una buena persona, alguien a quien podrán tener para ᴄᴜᴏꜱ solos y con quien podrán hacer todas las cosas que su madre está haciendo ahora.

Tiempo para compartir sólo con tu madre

No importa 'qué tan ocupada esté tu mamá, cuidándote, trabajando o saliendo con otras personas, hay algo muy importante que debe hacer contigo. Cada día, debe buscar un tiempo para estar sólo contigo, un tiempo en el que deje a un lado todas sus obligaciones para pasar por lo menos unos minutos compartiéndolos contigo y si tienes hermanos, con cada uno de ellos también. Es mejor que esto se haga cuando ella no tenga muchas cosas que hacer. Durante este tiempo, tú y tu mamá pueden platicar acerca de cosas personales, de tus problemas, de tus deseos, de tus desilusiones y de tus experiencias. También pueden jugar, leer y discutir lo que hayas hecho en la escuela o cualquier otra cosa que les interese a los dos.

Si tu madre no te está dando un tiempo para ti solo, trata de convencerla de que lo haga, ya que es durante estos momentos cuando realmente podrán acercarse uno al otro y cuando podrán evitar o solucionar muchos de tus problemas.

Si tratas de hacer las cosas que te he mencionado en este capítulo, estoy seguro que existirán menos problemas entre tu madre y tú.

7

Cómo llevarte mejor con tu padre divorciado

La mayoría de los niños que tienen padres divorciados viven con sus madres y visitan a sus padres durante los fines de semana o días festivos. Otros nunca o casi nunca ven a sus padres.

Primero hablaré acerca de los padres que van a visitar a sus hijos y después de aquellos que no lo hacen.

Padres que consienten y echan a perder a sus hijos

Casi todos los padres se sienten muy mal por haberse divorciado y están muy tristes por no poder vivir con sus hijos. Debido a esto, frecuentemente tratan de compensar su ausencia dándoles a sus hijos prácticamente todo lo que quieren y echándolos a perder en muchos aspectos. Pueden comprarles regalos en todo momento, no castigarlos o controlarlos cuando lo necesitan y tratar de pasar todo el tiempo haciendo sólo cosas divertidas con ellos.

A pesar de que los niños piensan que es muy divertido pasar así los fines de semana, no se dan cuenta de que sus padres no les están dando otras cosas que son importantes. A continuación hablaremos acerca de algunas de estas cosas.

Padres que no castigan o disciplinan
a sus hijos

Cuando a los niños no se les disciplina o castiga como debe ser, no aprenden a comportarse correctamente. Estos niños más adelante tienen problemas con otras personas que no los dejan hacer travesuras que su padre sí les permite.

Cuando estos hermanos visitan a su padre en los fines de semana, no se van a dormir temprano, no ponen sus juguetes en su lugar después de jugar, no se lavan las manos ni la cara, y mucho menos se peinan o recogen su ropa sucia. Si rompen algún objeto, su padre nunca los castiga o los reprende. Cuando regresan a su casa después de cada visita, tienen problemas para llevarse bien con su mamá, pues ella constantemente les está diciendo cómo comportarse correctamente. Sus maestros también se enojan y no los dejan salirse con la suya ni mostrar malas conductas y falta de disciplina. Estos niños estaban tan ocupados metiéndose en problemas que no aprendieron mucho en la escuela.

Padres que no enseñan a sus hijos a hacer cosas por sí mismos

Los niños que tienen padres que les dan casi todo lo que piden, pierden la oportunidad de experimentar qué se siente ganar las cosas por sí mismos.

El padre de este niño compró casi todos los juguetes que su hijo le pidió. Muy pronto, el niño se cansó de los juguetes que su papá le regaló. Él no disfrutaba mucho las cosas y no se sentía contento consigo mismo.

El papá de este otro niño le compraba regalos sólo en ocasiones especiales, como su cumpleaños o los días de fiesta. Si no era uno de estos días, el niño tenía que comprárselos él mismo, ahorrando el dinero de sus domingos o el que ganaba trabajando cuando, por ejemplo, cortaba el pasto del jardín. En vez de darle barcos y aviones muy caros, su papá le regalaba juguetes menos caros o modelos que él mismo podía armar, en ocasiones junto con su padre. A este niño le gustaban mucho los juguetes que tenía, se divertía con ellos durante mucho tiempo y estaba orgulloso de las cosas que hacía por sí mismo o que compraba con su propio dinero. Como resultado se sentía muy feliz consigo mismo.

Es más divertido hacer algo uno mismo que recibir una cosa que alguien más hizo.

Muchas cosas divertidas, pocas cosas personales

Es normal, divertido y sano pasar cierta cantidad de tiempo en lugares como el circo, el zoológico, la feria o el cine. Sin embargo, algunos padres pasan la mayor parte del tiempo que visitan a sus hijos en esos lugares. Estos niños extrañarán hacer cosas cotidianas que también son muy divertidas e indispensables para que un niño crezca feliz. Estas actividades pueden ser comer con el padre, salir a caminar con él, ayudarle a limpiar o a arreglar su coche y compartir con él miles de otras cosas pequeñas que pasan diariamente.

Estos padres muchas veces no platican con sus hijos de cosas que son importantes y que les ayudan a sentirse más unidos. No conversan sobre asuntos personales como sus preocupaciones y problemas o no hablan de ellos abierta y honestamente ni se cuentan lo que ambos piensan y sienten con respecto a diferentes temas. No comparten sus esperanzas, sus decepciones, sus experiencias y sus planes, platican sobre li-

bros, películas, deportes y cosas que están sucediendo en el mundo. No nada más el padre puede ayudar a su hijo contestándole las preguntas que tiene acerca de lo que ha aprendido en la escuela, sino que los niños de hoy están aprendiendo cosas que sus papás nunca aprendieron y, por lo tanto, ellos también pueden enseñarles muchas cosas a sus padres.

Pasar el tiempo juntos, hablando y compartiendo opiniones y sentimientos, es una de las cosas más agradables que puedes hacer con tu padre. Si tienes hermanos o hermanas con los cuales debes compartir el tiempo que pasas con tu papá, pídele que divida su visita de tal manera que cada uno pueda tener un tiempo a solas con él. Reservar unos cuantos minutos a solas con tu padre durante cada visita, puede ayudarte a que se conozcan mejor y se sientan más cerca el uno del otro. Muchos niños se dan cuenta de que si discuten algunos de sus problemas con sus padres, logran resolver la mayoría de ellos.

Recuerda, yo no estoy diciendo que tu padre no debe llevarte a lugares divertidos. Lo que digo es que hay otras cosas que son más importantes y que te ayudarán a sentirte mejor contigo mismo y a superar el divorcio de tus padres.

Cuando se hace sólo lo que el niño quiere y no lo que el padre desea

Algunos padres quieren que sus hijos estén contentos y por ello tratan de hacer sólo las cosas que los niños quieren. Estas actividades a veces no le gustan al padre o puede hasta odiarlas. Debido a esto no se divierten y se vuelven regañones, estropeando la visita.

A este niño le gustan los partidos de béisbol. Su padre los odia, pero aun así lo llevó a ver un partido porque pensó que de esta forma su hijo estaría contento. A la mitad del partido el padre ya estaba desesperado y empezó a criticar y a contestar mal a su hijo cuando éste decía o hacía algo. Toda esta situación hizo que el niño se sintiera muy mal.

Lo que empezó con el fin de lograr que el niño estuviera contento, terminó haciéndolo sentirse muy triste.

Es mejor tratar de hacer cosas juntos que ambos disfruten. De esta manera acabarás divirtiéndote más. Si tu padre hace contigo cosas que no le gustan, debes hablar con él y tratar de encontrar actividades que los dos deseen hacer. Si lo haces, te la vas a pasar mucho mejor con tu padre.

En el siguiente caso, a los dos les gusta la carpintería. Cuando comenzaron a fabricar cosas de madera en lugar de ver partidos de béisbol, se la pasaron muy bien juntos y se divirtieron mucho.

Cuando se hace sólo lo que el padre quiere
y no lo que el niño desea

Ciertos padres hacen sólo cosas que a ellos les gustan y no les importa si sus hijos quieren o no hacerlas. Algunos niños que tienen padres como éstos, no dicen nada y esto provoca a la larga, que odien las visitas de sus padres. Los niños que les dicen a sus papás lo que están sintiendo, a veces logran que las cosas cambien.

El papá de esta niña es un vendedor. Cada sábado, y con frecuencia también los domingos, la lleva con él a visitar a sus clientes. La niña casi siempre tiene que quedarse sola en el coche por mucho tiempo esperándolo, aburriéndose y sintiéndose triste. Al poco tiempo, empezó a temer las visitas de su padre. Mientras no dijo nada, su padre siguió haciendo esto porque no se daba cuenta de que su hija se aburría. El padre pensaba que era suficiente llevarla con él. A pesar de que la niña se quejó varias veces, él siguió llevándola a ver a sus clientes. Cuando finalmente ella le dijo qué era lo que en realidad le molestaba y que prefería no salir más con él, el padre advirtió que había estado cometiendo un error. No fue sino entonces que empezaron a hacer cosas juntos que a ambos les agradaban.

Cuánto tiempo pasas con tu padre

En algunas familias existe una regla que establece que el niño tiene que ver a su padre una o dos veces por semana. Sin embargo, pueden haber ocasiones en las que el niño no quiera irse con su padre, ya que prefiere quedarse en la casa, estar solo o jugar con sus amigos. Probablemente el niño no tenga libertad para elegir y sea obligado a salir con su padre.

Yo no creo que deba forzarse a un niño a ver a su padre con mayor frecuencia de la que él desee. Se le debe permitir escoger si quiere o no verlo en un día específico o durante un fin de semana. Claro que el niño tiene que decidirse con tiempo para que así su padre no llegue de improviso. Si a ti no te dejan escoger, habla con tus padres y diles lo que sientes. Algunos niños no desean visitar a sus padres pero no les platican lo que piensan. Estos niños con frecuencia se dan cuenta de que si les dicen a sus padres lo que realmente desean, no se les forzará a salir más de lo que ellos quieran.

Algunos padres creen que una visita debe durar todo el día. Piensan que ya que el niño no ve a su padre toda la semana, deben pasar mucho tiempo juntos durante el fin de semana. Esto es cierto para algunas familias pero no para todas. En algunas ocasiones las visitas cortas son mejores, pues a veces el padre y su hijo se divierten más si pasan menos horas juntos. Cuando pasan mucho tiempo juntos, con frecuencia se hartan uno del otro y se desesperan. Tal vez ambos desean que las visitas sean más cortas pero no lo platican entre ellos. Cuando lo hacen y deciden acortar las salidas, ambos están generalmente más contentos durante el tiempo que permanecen juntos.

Otros padres piensan que es importante llevarse a todos sus hijos con ellos durante su día de visita. A veces es mejor que los niños se turnen: una vez uno y otro en una ocasión distinta. Cada uno en su turno, de esta manera, el niño que sale puede pasar más tiempo a solas con su padre. En familias más grandes, algunos niños pueden salir durante una visita y los demás en la siguiente. Claro que a veces es más divertido si todos salen juntos.

Recuerda, no tienes que salir con tu padre todas las semanas si no lo deseas. Ten presente que en algunas familias, todos están más contentos cuando se turnan las visitas: un día el padre sale con un niño y en otro día distinto sale con otro. En otras ocasiones pueden salir todos juntos. Finalmente, a veces las salidas cortas pueden ser mejores que las que duran todo el día.

¿Es bueno que tus amigos te acompañen cuando sales con tu padre?

Muchas veces lo que les gusta hacer a los hijos no les agrada a los adultos así como muchas cosas que les gustan a los adultos no divierten a los niños. Debido a ello, un padre puede tener problemas para saber qué hacer cuando sale con sus hijos y para decidir qué cosas les pueden divertir a ambos durante todo el día. Cuando esto sucede, los padres y los hijos empiezan a tener algunos de los problemas de los que ya hablamos y probablemente se aburra o se desespere.

Una forma de hacer que la salida sea más divertida es llevando a un amigo contigo. Esto es especialmente cierto si eres un niño que no tiene hermanos o hermanas. No estoy diciendo que lleves a un amigo siempre que sales con tu padre ya que esto ocasionaría que él no pudiera hacer cosas a solas contigo. Sin embargo, llevar de vez en cuando a un amigo puede lograr que se la pasen mejor tú y tu padre. De esta manera puedes divertirte con tu amigo como no podrías hacerlo con tu padre. Tu papá puede relajarse más ya que a veces es difícil para él mantenerte entretenido todo el día.

A veces cuando el padre sale con el niño y sus amiguitos, casi no puede convivir con su hijo durante esa salida, pero ellos sí podrán jugar y divertirse. Si tú piensas que tu papá se siente solo por eso, pregúntaselo para que entonces puedas pasar más tiempo a solas con él.

Recuerda, llevar a un amigo de vez en cuando puede ser bueno y puede lograr que la salida sea más agradable. Pero los amigos no deben salir con ustedes muy seguido ya que si esto sucede tú no podrás pasar mucho tiempo a solas con tu padre.

Actuando como adulto con tu padre

En el capítulo anterior te conté que algunos niños tratan de actuar como si fueran los maridos de sus madres. También hay algunas niñas que tratan de actuar como las esposas de sus padres. Este tipo de niñas pueden cocinar para ellos, hablarles como personas adultas, maquillarse cuando sus papás las van a visitar y querer ir a muchos lugares con ellos. A algunos padres les gusta que sus hijas se comporten de esta manera. Pero si una niña y su padre hacen estas cosas muy seguido, ella posiblemente tendrá problemas más adelante cuando quiera salir con muchachos o casarse. Por tanto, esto no es una buena idea. Estas niñas con frecuencia tienen problemas con sus amigas a quienes normalmente no les gusta que una niña actúe como un adulto.

Actuando como un bebé con tu padre

En el capítulo anterior también hablamos acerca de los niños y niñas que se comportan como bebés con sus madres. Estos niños tratan de que sus padres los mimen o a sus papás puede gustarles mucho tratarlos como si fueran bebés. Esto no es bueno. A estos niños les puede agradar obtener atención y cuidados extras pero más adelante tendrán problemas para llevarse bien con niños de su edad quienes los llamarán "bebés" y se burlarán de ellos porque no se comportan de acuerdo con su edad. Después, estos niños frecuentemente tendrán problemas para salir con otros muchachos o muchachas, para casarse o para tener amigos. Un buen padre no debe tratar como bebés a sus hijos.

Cuando tu padre habla de tu madre

En el capítulo anterior te dije que no siempre debemos confiar en lo que algunas madres dicen del padre de sus hijos. De igual manera, hay algunos padres que no son confiables cuando hablan acerca de la madre de sus hijos. Estos padres dicen cosas muy malas de la madre, cosas que no son ciertas. Pueden hasta decir que la madre odia a su propio hijo cuando esto no es verdad.

Si tu padre es así, es mejor no tomar en serio lo que dice de tu madre, a menos que estés seguro de que lo que te está contando es cierto. A menudo estos padres no son completamente sinceros cuando hablan de tu madre pero sí puedes creerles cuando hablan de otras cosas o de otras personas.

Los padres que no visitan

Voy a hablar sobre los padres que, aunque viven cerca de sus hijos, no los visitan y de los padres que viven lejos y casi nunca les hablan o escriben a sus hijos. Afortunadamente, existen muy pocos padres como éstos.

Es triste decirlo, pero estos padres no aman a sus hijos o los quieren muy poco. Cuando crezcas aprenderás que nadie es perfecto; todos tenemos fallas y esto también es válido en el caso de tus padres. Este tipo de padres pueden no tener problemas para hacer muchas cosas, pero sí tienen un gran problema al no ser capaces de querer a sus propios hijos.

Si tu padre es así, esto no significa que tú no seas suficientemente bueno o que nadie más te va a querer. El hecho de que tu padre no te quiera, no te convierte en una persona a quien nadie va a querer. Tal vez no lo sepas pero hay algo que está muy mal en un padre que no puede amar a su propio hijo. Esto es triste para él ya que se está perdiendo de una de las más grandes alegrías de la vida. Es importante que sepas que entre más lástima y menos coraje sientas hacia un padre como éste, mejor te sentirás.

El padre de una niña que conozco no mostraba mucho interés en ella y casi nunca iba a visitarla. Un día hablando de su padre dijo, "¡Pobre papá tonto!". Ésta era una buena forma de mostrar que sentía lástima por él y, al mismo tiempo, de expresar su coraje.

Algunos niños con padres como éstos se pasan todo el tiempo esperando y deseando que cambien y tratan de hacer muchas cosas para que sus papás los quieran. Si tú has actuado así y tu papá no ha mostrado interés por ti después de cierto tiempo, es mejor que te olvides de él y trates de divertirte con tus amigos.

Existe un dicho que reza: "No le pegues a un caballo muerto". Un caballo lento puede apurarse cuando se le pega lige-

ramente con una vara. Pero un caballo muerto nunca se moverá, no importa cuánto se le golpee. Este dicho quiere decir que uno no debe perder su tiempo tratando de pegarle a un caballo muerto para que se mueva, ya que no lo hará. De la misma manera, si un padre muestra repetidamente que no te quiere, deja de tratar de cambiarlo. ¡Deja de golpear a un caballo muerto!

Ciertos niños cuyos papás nunca o casi nunca los visitan, niegan que algo esté mal con sus padres y actúan como si éstos fueran perfectos. No creen nada de lo que la gente les dice acerca de las fallas de sus padres. Estos pequeños insistirán en que sus padres son perfectos e inventarán un montón de excusas tontas para tratar de explicar por qué nunca o casi nunca los van a visitar. El rehusarse a admitir lo que realmente está pasando, tan sólo hace que sea aún más difícil para estos niños manejar los problemas del divorcio de sus padres y esto probablemente les complicará más todo.

¿Qué puedes hacer si casi no ves a tu padre? Lo mejor que puedes hacer es entablar buenas amistades con niños de tu edad y con hombres que pueden ser en parte padres sustitutos. Existen muchos sitios en donde un niño puede encontrar padres sustitutos. Los clubes, por ejemplo, pueden ser una buena opción. En ellos, los niños conviven con adultos y van juntos a días de campo, excursiones y partidos; la mayoría de cosas que los niños hacen con sus padres.

Si tu mamá no pertenece a ningún club, pídele que se inscriban en alguno. En casi todas las ciudades y poblados los hay.

Los líderes de los *boyscouts*, los entrenadores, los maestros o los guías pueden ser buenas figuras paternas sustitutas. Los puedes encontrar en escuelas, iglesias, parques y deportivos.

8

Cómo llevarte mejor con padres que viven separados

Algunos problemas especiales surgen cuando un niño pasa parte de su tiempo con un padre y parte con otro. Estos problemas generalmente ocurren debido a que los padres, a pesar de que están divorciados, siguen peleándose. Aún no han arreglado sus problemas pero no pueden pelearse tan fácilmente porque viven separados. Por ello, cada uno trata de utilizar al hijo para que lo ayude en su pelea contra el otro. Sería mucho mejor para el niño si ellos dejaran de hacer esto, ya que de esta manera, el hijo no tendría muchos de los problemas de los que vamos a hablar ahora.

Cuando te usan como espía o como el "cuentachismes"

Algunos padres tratan de usar a sus hijos como espías. Cada padre le pregunta al niño varias cosas sobre el otro como, por ejemplo, si está saliendo con alguien o gastando mucho dinero. Si el niño quiere agradar a sus padres, puede tratar de contestar todas esas preguntas y esto es un gran error. Debe decirles a sus padres que él no va a ser un chismoso. Una de las razones por las que debe hacer esto es porque si cae en el juego de los padres, lo único que logrará es contribuir a que la pelea entre ellos continúe. Si dejara de darles información, sus padres posiblemente pelearían menos. Asimismo, a nadie le cae bien un espía y el mismo espía se siente mal consigo mismo.

Tus padres te pueden decir que te amarán más si les das información pero, en el fondo, te querrán menos por hacerlo. Si tu madre se entera de que le estás contando a tu padre sus cosas personales, ella ya no te tendrá confianza y tu padre tampoco confiará en ti si sabe que le dices a tu madre cosas personales de su vida. Además, tú no te sentirás bien contigo mismo si te vuelves un chismoso.

Pero no estoy diciendo que no debes platicar absolutamente nada a tus padres acerca de lo que haces con uno o con el otro. Aprenderás que existen ciertas cosas de las que es mejor no hablar. Al principio es difícil saber exactamente cuáles son, pero la mayoría de los niños acaban por conocerlas. Si la pregunta tiene muy poco que ver contigo, pero está muy relacionada con la vida privada de tu padre, es mejor no contestarla. Podrías responder a este tipo de preguntas diciendo: "por favor, no me hagas ser un chismoso". Si ciertos temas parecen provocar peleas entre tus padres, es más conveniente no contestar las preguntas que tengan que ver con esos temas.

Dos temas de los cuales los padres a menudo quieren información son: si el otro está saliendo con alguien y en qué gasta el dinero. Existen otras situaciones que causan peleas y tú tienes que aprender a distinguir las que se presentan en tu familia.

Los jaloneos durante la guerra

A veces la madre trata de poner a su hijo de su lado y en contra del padre, o un padre trata de que su hijo esté de su lado y lo apoye contra su madre. Cada padre quiere que el niño esté de acuerdo en que el otro padre está equivocado. Cuando ambos padres tratan de hacer esto, el niño se encuentra atrapado entre la espada y la pared. Si toma el lado de su madre, su padre puede enojarse con él, si toma el de su padre la madre será la que tal vez se enfade con él. ¿Qué puedes hacer si te encuentras en una situación parecida?

Una de las cosas que puedes hacer es rehusarte a ponerte del lado de cualquiera de los dos o negarte a ser involucrado en la pelea. No debes unirte con un padre en sus planes contra el otro. No lleves ningún mensaje relacionado con sus peleas.

Otra de las cosas que puedes hacer, es tener mucho cuidado con lo que crees cuando un padre te dice cosas malas acerca del otro.

A pesar de que tus padres pueden tratar de ser muy honestos y sinceros contigo, les es difícil ser sinceros el uno con el otro y hasta consigo mismos. No se les puede creer totalmente las cosas que dicen del otro, especialmente cuando dicen cosas malas. Debes tener mucho cuidado en eso y creer sólo las cosas de las que estás seguro que son ciertas o que a ti te constan.

Es importante recordar que la gente no es perfecta; tiene lados buenos y lados malos; tiene razón en ciertas cosas y se equivoca en otras. La mayoría de las veces, ambos padres están equivocados en algunos de sus argumentos y tienen razón en otros. Es poco común que la madre o el padre tengan siempre la razón. Algunas veces tu madre tendrá razón y en otras ocasiones será tu padre quien esté en lo correcto. De vez en cuando será difícil darte cuenta de quién es el que tiene razón. Si escuchas a tu madre, quizá te parecerá que dice la verdad y al contrario; no te desesperes, a veces aun los psiquiatras tienen problemas para determinar quién está en lo correcto.

Lo mejor que puedes hacer cuando uno, o ambos, tratan de ponerte de su lado para estar contra el otro, es rehusarte a

entrar en la pelea y tener mucho cuidado de no creer las cosas malas que uno te dice del otro. Sin embargo, sí puedes creerles las demás cosas de las que hablan, cosas que no tienen ninguna relación con el divorcio.

Jugando a poner a los padres en contra

Todos los niños tratan de que cada uno de sus padres los quiera mucho. Para lograrlo, ciertos niños hablan mal de un padre con el otro ya que saben que esto les agrada a ellos. Por ejemplo, cuando el niño esté con su madre, le dirá cosas malas sobre su padre y cuando esté con su padre, contará cosas malas sobre su madre. Algunos niños tan sólo dicen lo malo y nunca lo bueno que hacen sus padres.

Tal vez ambos padres les agrade oír estas historias. Sin embargo, el niño sabe que los está engañando y que está siendo hipócrita con ellos. Además, cuando dice estas cosas se siente mal consigo mismo. Tarde o temprano, sus padres se darán cuenta de lo que está pasando y entonces dejarán de confiar en su hijo y se enfadarán muchísimo.

Cuando los padres divorciados se tienen rencor, el niño puede aprovechar esta situación para obtener de ellos cosas que quiere aunque realmente no las necesite. Por ejemplo, esta niña se la pasa contándole a su padre que su madre siempre

está diciendo que él era muy avaro con el dinero y que nunca les compró regalos a sus hijos. Su padre creyó esta historia y empezó a comprarle regalos a su hija a pesar de que realmente

no los necesitaba. Cuando ella estaba con su madre, le decía que su padre se la pasaba diciendo que ella estaba constante-mente con otros hombres y no pasaba mucho tiempo en casa

con su familia. La madre creyó esta mentira y empezó a salir menos con sus amigos, quedándose más tiempo del que debía al lado de la niña.

A pesar de que esta niña obtuvo muchos regalos de su padre y logró pasar más tiempo con su madre, se sintió muy mal por ser tan mentirosa. Cuando sus padres se dieron cuenta de lo que realmente estaba ocurriendo, se sintieron defraudados y pasó mucho tiempo antes de que recuperaran la confianza que tenían en su hija, a pesar de que ella dejó de decir mentiras. Con este ejemplo te puedes dar cuenta de que un niño mentiroso casi siempre acaba engañándose a sí mismo mucho más de lo que engaña a otros.

Cuando te usan como arma o instrumento

Los padres que siguen peleando después del divorcio tratarán de vez en cuando de lastimarse o de controlarse uno al otro haciéndole algo al niño. Por ejemplo, la madre puede impedir que el niño visite a su padre porque éste hace cosas que a ella no le agradan. Ella puede decirle al padre que hasta que cambie su manera de ser permitirá que sus hijos lo visiten. El padre puede dejar de mandar dinero para los cuidados de los niños porque la madre hace cosas que él no aprueba. Él puede decir que enviará dinero hasta que ella empiece a comportarse como él quiere que se comporte.

Esta es una situación muy desagradable y con frecuencia es poco lo que el niño puede hacer para cambiarla, por lo que tiene que aceptarla. Pero sí hay ciertas cosas que el niño puede intentar hacer. Les puede decir a sus padres que lo están haciendo sufrir con estas cosas, que no tienen nada que ver con él y que esto no sólo es injusto para él, sino que también es muy cruel para ellos. Les puede comentar que sus conductas provocan que él sienta menos amor y respeto por ellos ya que es ilógico que esperen que él los quiera y respete si lo lastiman con cosas que no tienen ninguna relación con él. En ocasiones, platicar esto con los padres ayuda a que la situación mejore.

Si tu madre no te permite ver a tu padre, recuerda que ella no tendrá control sobre ti cuando seas mayor. Entonces, tu papá y tú podrán verse cuantas veces se les antoje. Si tu padre no envía el dinero que debe mandar, no te preocupes ya que no te morirás de hambre, ni te quedarás sin ropas o sin una casa en la cual vivir.

No obstante, habrá situaciones en las que no podrás hacer

nada para evitar estas peleas. Debes recordar que llegará el día en que serás grande y entonces no estarás tan indefenso y no te lastimarán tan fácilmente con los problemas de otros.

Si tus padres hacen cosas parecidas a las que acabo de comentarte en este capítulo, posiblemente lograrás llevarte mejor con ellos si sigues los consejos que te he dado.

9

Cómo llevarte mejor con tu padrastro y tu madrastra

Si tu madre vuelve a casarse, su nuevo marido será tu "padrastro". Si tu padre se casa otra vez, su nueva esposa será tu "madrastra". Con frecuencia es muy bueno que los padres vuelvan a casarse ya que así la familia está completa con padre y madre y generalmente tanto los padres como los niños están más contentos. A veces una madrastra o un padrastro se porta mejor con el niño que su propia madre o su propio padre. Si es así, el niño se sentirá más contento.

Primero hablaré de los padrastros y después de las madrastras.

Los padrastros

Muchos niños hablan de cuánto les gustaría que sus madres se casaran otra vez para que ellos tuvieran un nuevo padre. Sin embargo, muchos niños se enojan o se asustan cuando un nuevo hombre aparece y ven que existe la posibilidad real de que éste se case con su madre. Estos niños pueden cambiar de opinión y decir a sus madres que ya no quieren que se casen.

Una razón por la cual esto sucede es porque todas las cosas nuevas nos asustan (incluso a los adultos). Cuando una madre vuelve a casarse, el niño no sabe qué va a pasar. Puede no saber qué tipo de persona será su nuevo padre y puede pensar que muchas cosas malas van a suceder. Estos miedos con frecuencia desaparecen cuando el niño llega a conocer bien a su padrastro y se da cuenta de que sí le cae bien.

Algunas veces, el nuevo padrastro realmente está interesado en caerte bien y puede demostrártelo abrazándote mucho, comprándote muchos regalos y tratando de pasar mucho tiempo contigo. Si esto sucede, él no ha aprendido aún que la amistad y el amor verdaderos van creciendo lentamente y no de manera rápida. Quiere ser tu amigo inmediatamente y no se da cuenta de que la mejor manera de acercarse a ti es de una forma lenta y natural. No dejes que esto te asuste o que te haga rechazarlo. Él probablemente te estima, pero no sabe cómo demostrártelo.

A menudo los niños le temen a su padrastro porque no tienen confianza en los hombres. Ya que su primer padre se fue de la casa, tienen miedo de que todos los hombres se vayan a ir. Temen encariñarse con él por miedo a que los decepcione como los decepcionó su padre. Esto lo piensan muchas personas y tu madre probablemente también piensa igual. Sin embargo, el que un hombre se haya ido no quiere decir que el otro también lo hará. Tu madre posiblemente pondrá mucha atención esta vez para asegurarse de que este es el hombre que le conviene y pondrá todo lo que esté de su parte para que su matrimonio perdure.

Algunos niños cambian de opinión con respecto a su deseo de que su madre se vuelva a casar cuando ven que el nuevo padre les está quitando parte del tiempo que ellos solían compartir con ella. Se enojan por esto e intentan ahuyentar al hombre y convencer a su madre de que no se case con él. Este desagrado puede aumentar aún más cuando lo ven besando o abrazando a su madre, cuando pasa mucho tiempo con ella en la casa, cuando salen en la noche o cuando se van solos de vacaciones. Estos niños quisieran retroceder en el tiempo y volver a tener a su madre sólo para ellos. También les duele advertir que su madre goza estando con este nuevo hombre y piensan que ella realmente no los puede querer si a él lo quiere tanto.

En primer lugar, es importante recordar que el amor no es como un pastel con pedazos cortados para cada persona, en donde si se le da más de una rebanada a una persona, las otras se quedan con menos o sin nada. El amor es como una fuente de agua. Una persona puede dar mucho amor a muchas personas. No porque tu madre ame a este nuevo hombre y pase mucho tiempo con él, te quiere menos. En segundo lugar, es importante darse cuenta de que entre más contenta esté tu mamá, mejor se llevará contigo. Si este nuevo hombre la hace feliz, tú te darás cuenta de que ella será una mejor madre ya que va a tener más paciencia y gozará más el tiempo que pase contigo. Esta es una de las cosas bonitas que tiene el amor. Por último, es importante tener presente que entre más vayas creciendo, mayor número de oportunidades tendrás de hacer amigos con los cuales podrás divertirte tanto como tu madre lo hace ahora. Algún día, tú también podrás casarte con una persona que será para ti solo y con la cual podrás hacer muchas cosas maravillosas.

Algunos niños tienen problemas con sus padres y se desquitan con sus padrastros. Pueden estar muy enojados con

sus papás pero no expresan ese coraje. Cuando esto sucede, el coraje va creciendo dentro del niño: se vuelve caprichoso e inquieto y tiende a sacar toda esa agresión contra otra persona, por ejemplo, su padrastro.

Es entonces cuando puede llegar a verlo como una persona mala o cruel cuando en realidad no lo es. Cuando estos niños les platican a sus padres las cosas que les molestan y arreglan sus problemas con ellos, tienen menos problemas con sus padrastros.

A veces el problema surge cuando tiene que decidirse cómo van a llamar al padrastro. A la mayoría de los niños no les gusta llamarlos papá. Consideran que su papá es alguien es-

pecial y por tanto, llamar a su padrastro "papá" los hace sentir incómodos. ¿Qué debes hacer en un caso como éste? Lo primero que hay que recordar al contestar esta pregunta es que tú no tienes por qué utilizar ningún nombre que te haga sentir incómodo. No dejes que te fuercen a usar un nombre que no quieres. Generalmente, existen varios nombres que los niños usan: "padre, papá, papi y pa", son los más comunes. Algunos niños usan uno de estos nombres para su padre y otro para su padrastro. Otros pueden llamar a su padrastro por su nombre, si él está de acuerdo. Algunos más inventan un nombre para su padrastro. Nuevamente te repito que es importante usar un nombre con el que te sientas a gusto y no uno que te sientas obligado a usar.

Algunos niños se sienten muy decepcionados con su padrastro. Puede ser porque el padrastro no los quiere tanto como ellos pensaron que los iba a querer. Es importante darse cuenta de que tu padrastro se casó con tu madre porque la quería a ella, no a ti. Si llega a quererte, qué bueno. Pero tú no eres su verdadero hijo. A pesar de que algunos hombres quieren a sus hijastros como si fueran sus propios hijos, otros no lo hacen. Si tu padrastro no te ama no significa que no seas digno de ser querido. Sólo significa que no te quiere. Seguirás decepcionándote mientras continúes esperando que te quiera cuando esto no va a pasar.

Otra razón por la que algunos niños se decepcionan de sus padrastros es porque habían deseado que fuera una persona perfecta o casi perfecta. A pesar de que estos niños tienen padres que con frecuencia tienen muchas fallas o defectos, esperan que sus padrastros no tengan ningún defecto. Nadie es perfecto. Todos tenemos defectos y estos niños seguirán decepcionándose mientras sigan esperando que su padrastro sea perfecto.

Muchos niños desean que sus padres divorciados vuelvan a casarse entre sí y estén juntos nuevamente. A pesar de que sus padres continuamente les dicen que esto no sucederá, ellos continúan deseándolo. Cuando uno de los padres se vuelve a casar, las esperanzas que el niño tenía de que sus padres se casaran nuevamente se frustran. Esto es bueno, pues ayuda a que deje de perder su tiempo esperando que algo que no va a pasar, pase.

Las madrastras

Muchas de las cosas que dije acerca de los padrastros también suceden con las madrastras. La mayoría de los niños que tienen padres divorciados viven con sus madres. Si ellas vuelven a casarse, los niños viven entonces con su padrastro y él se convierte en una persona importante para ellos. La mayoría de los hijos de padres divorciados no viven con sus papás, pero si sus padres se vuelven a casar, tendrán una madrastra. Normalmente, los niños no ven a la madrastra tan seguido como al padrastro y por lo tanto, ella no es tan importante para ellos.

A veces un padre pasa menos tiempo con sus hijos después de que se casa otra vez. Su nueva esposa quiere que él pase más tiempo con ella y con frecuencia, no le agradará la idea de que él salga contigo. Si te llevas bien con tu madrastra, probablemente verás más a tu padre. Recuerda todo lo que te acabo de decir ya que esto puede hacer una gran diferencia en cuanto a las veces que verás a tu padre y la forma en la que ambos se la pasarán. Además, tu madrastra es una persona que posiblemente se volverá tu amiga y te ayudará a que no te sientas tan triste y solo.

Algunos niños tienen problemas con sus madres y se desquitan con sus madrastras. Pueden tener miedo de decirle a su madre lo que les está molestando y por ello se tragan todos estos sentimientos. Esto los vuelve inquietos y sacan todo su coraje hacia su madrastra. También pueden pensar que su madrastra es una persona mala cuando realmente no lo es. Estos niños se llevarán mejor con sus madrastras si arreglan sus problemas con sus madres. Como te he dicho muchas veces, el propósito del coraje es ayudarte cuando tienes problemas con alguien. Habla acerca de ello con la persona que te inspira esos sentimientos, no te los guardes. Deja que el coraje te ayude a resolver tus problemas. Una de las cosas que puede pasar si te tragas el coraje, es sacarlo con la persona equivocada, como por ejemplo, con tu madrastra.

Ciertos niños tienen problemas al no saber cómo llamar a sus madrastras. Ya que el niño tiene una madre, no se siente a gusto llamando a su madrastra "mamá". Él considera a su madre una persona especial y no le gusta llamar a nadie más "mamá". ¿Qué debes hacer? Lo importante es usar un nombre con el que te sientas a gusto. No dejes que te obliguen a usar un nombre que no quieres. Algunos niños se sienten bien cuando llaman a una "mamá" y a la otra "ma", por ejemplo. A la mayoría no le gusta usar el mismo nombre para las dos. Otros, cuando ellas están de acuerdo, llaman a sus madrastras por su nombre. Algunos prefieren inventar un apodo para sus madrastras. Lo importante es utilizar un nombre con el que te sientas cómodo, nunca uno que tú no quieras usar.

A pesar de que otros problemas pueden surgir cuando los padres vuelven a casarse, los niños se sienten más contentos y están mejor en un hogar completo, es decir, en uno en donde hay tanto una madre como un padre aun cuando uno de ellos sea un padrastro o una madrastra.

10

Otros problemas que a veces tienen los hijos de padres divorciados

Problemas con otros niños

Algunos hijos de padres divorciados tienen problemas con otros niños cuyos padres nunca se han divorciado. Estos niños a veces pueden ser muy crueles y burlarse de los niños con padres divorciados. Ellos pueden creer que eres diferente o raro y sus padres tal vez no deseen que sus hijos jueguen contigo.

¿Por qué pasa esto?

Una de las razones es porque muchos adultos tienen ideas muy raras sobre el divorcio. Pueden pensar que las personas que se divorcian son malas, que han cometido un pecado o que son extrañas. No se dan cuenta que el divorcio es una cosa muy triste y causado frecuentemente por errores que la gente comete o por problemas que no pueden controlarse. En vez de sentir pena y tratar de ayudar a la gente que se divorcia, algunos adultos llegan hasta a burlarse de ellos, a odiarlos, a no juntarse con ellos o a actuar en forma rara cuando están a su lado. Pueden trasmitirles estas ideas absurdas a sus hijos, quienes a su vez empiezan a creer que los niños de padres divorciados son malos o raros.

Otra razón por la cual algunos niños son crueles, es porque ellos mismos se sienten mal y tratan de sentirse mejor burlándose de otras personas; quieren molestar especialmente a aquellos niños que se sienten inseguros o a los que les ha pasado algo malo. Intentan sentirse mejor y más fuertes al hacer sentir a otro mal e insignificante. Esto nunca funciona. No importa cuánto molesten a otros o se burlen de ellos, nunca llegan a sentirse mejor consigo mismos.

¿Qué puedes hacer si esto te pasa a ti?

Algunos niños tratan de esconder el hecho de que sus padres se han divorciado. Pueden inventar toda una serie de historias para explicar porqué su padre no vive en casa. Pueden rehusarse a que otros niños visiten su hogar ya que temen que se den cuenta de que su padre no vive ahí. Quizá hasta dejar de jugar con otros niños por temor a que descubran su secreto.

Ésta es una de las peores cosas que un niño puede hacer ya que al actuar de esta manera, tan sólo se siente peor consigo mismo. Sabe que está mintiendo y esto hace que se sienta mal. Constantemente tiene miedo de que otras personas conozcan su secreto. Tener siempre miedo de que otras personas se den cuenta de que sus padres están divorciados, es mucho peor que cualquier cosa que pueda pasar al decir la verdad. Y si otros niños se enteran de que se les han contado mentiras, tendrán problemas para volver a confiar en el amigo que les mintió. Finalmente, un niño que se aísla de los demás porque no quiere que la gente sepa que sus padres están divorciados, acaba viviendo una vida muy solitaria.

¿Qué puedes hacer si la gente es cruel contigo o se burla de ti porque tus padres están divorciados?

Primero, es importante recordar que el hecho de que otras personas piensen que eres malo o raro, no significa que sí lo seas. Tú eres lo que tú eres y no lo que la gente dice que eres. Algunas veces, claro está, lo que la gente dice de ti es cierto, pero a veces no. Algunas personas piensan que lo que dice la gente con respecto a ellos, es verdad. Algunas veces lo es y otras no. Tú eres quien tendrá que decidir si lo que dicen las personas sobre ti es cierto o no.

Si alguien dijera que tu pelo es morado y tu piel verde, esto no haría que tu pelo se pintara de morado y tu piel de verde. Tú podrías mirarte al espejo y darte cuenta de que esto no es cierto. Entonces descubrirías que la persona que te lo dijo está equivocada y que algo debe estarle pasando para decir cosas tan ridículas.

Si alguien dijera que tu pelo es café y tus ojos son azules y tú, al mirarte al espejo, te dieras cuenta de que es cierto, reconocerías que la persona está en lo correcto y estarías de acuerdo con ella.

Recuerda el dicho, "palos y piedras pueden romper mis huesos, pero los apodos nunca me harán daño". No importa qué es lo que otros niños digan de ti, esto no puede hacerte daño. Este dicho es una buena respuesta con la que puedes contestarle a los niños que se burlan de ti por cualquier razón.

De la misma manera, cuando los demás niños te insultan o piensan que eres raro porque tus padres están divorciados, tú puedes darte cuenta por ti mismo de que esto no es cierto. Tú sabes lo que eres y quién eres y por lo tanto, te das cuenta de que las otras personas están mal al decir esas mentiras. Si recuerdas esto, posiblemente te sientas mejor.

También es importante recordar que ciertos niños se burlan de ti porque se sienten mal consigo mismos; lo único que buscan es sentirse más fuertes haciéndote sentir mal e insignificante. Si entiendes esto, las cosas que los demás niños digan de ti no te molestarán tanto.

Lo mejor que puedes hacer con los niños y adultos que tienen ideas ridículas acerca del divorcio, es ser honesto, comportarte en forma natural y hacer tu vida exactamente igual a como la harías si tus padres no estuvieran divorciados. El hecho de que tus padres estén divorciados no tiene nada que ver con la forma en cómo te llevas con otros niños dentro de la escuela y fuera de ella.

Si te comportas de forma natural, los demás niños se relacionarán contigo de la misma manera como lo hacen con cualquier niño, ya sea hijo de padres divorciados o no. Lo que más les interesa a los niños es que seas agradable y divertido. Si juegas con ellos y eres un buen amigo, la mayoría de ellos querrán jugar contigo, tengas o no padres divorciados.

Niños que se sienten mal consigo mismos

Algunos niños nunca han sufrido burlas o se les ha considerado raros o malos por tener padres divorciados, sin embargo, de todos modos se sienten raros, piensan que no son tan buenos como los niños que tienen padres que viven juntos. Yo creo que lo que pasa es que no han tenido tan buena suerte. Sin que ellos tengan la culpa, sus padres se han divorciado. Esto no los hace raros o malos ni tampoco los convierte en niños a los que no se debe o puede querer, simplemente han tenido menos suerte.

Recuerda también que hay muchos niños cuyos padres viven juntos pero que no siempre son más felices o más afortunados que tú. Muchos padres siguen casados a pesar de que son muy infelices viviendo juntos, no obstante siguen en la misma casa porque piensan que es lo mejor para sus hijos. Como ya mencioné antes, los psiquiatras saben que esto fre-

cuentemente no es cierto, y que muchas veces los niños estarían mejor si sus padres se divorciaran. Estos niños pueden tener problemas más graves que los que tú tienes. Seguramente tú eres más afortunado que ellos. No creas que todos los niños que viven con sus dos padres están mejor que tú. Muchos de ellos están sufriendo más.

Gran parte de los niños con padres divorciados se sienten mal consigo mismos porque la mayoría de los niños que conocen, sino es que todos, tienen padres que están casados. Ellos sienten que son diferentes y piensan que hay muy pocos niños como ellos. Cuando otros niños hablan acerca de las cosas que hacen con sus dos padres, se ponen muy tristes al pensar que ellos no las pueden hacer.

Estos niños con frecuencia se sienten mejor cuando sus padres empiezan a reunirse con otras personas que también se han divorciado, ya que de esta manera, los hijos pueden estar con otros niños que están viviendo situaciones muy similares a las suyas. Cuando esto pasa, se dan cuenta de que no son los únicos que tienen problemas, se sienten menos diferentes de las otras personas y mejor consigo mismos. Además pueden aprender las formas de resolver problemas que utilizan otros niños de padres divorciados. Hay millones de niños en las mismas circunstancias y los encontramos en casi cualquier pueblo, estado o ciudad. El número de niños con padres divorciados crece cada año y, por lo tanto, cada vez pueden relacionarse más niños que comparten el mismo problema. Si logras conocer a más niños que están en tu misma situación podrás sentirte mejor.

Niños que se sienten avergonzados por el comportamiento de sus padres

Muchos divorcios ocurren porque uno o ambos padres tienen serios problemas. Un padre puede beber mucho, otro puede jugar y gastar la mayoría de los ahorros y después no tener dinero para mantener a su familia. Otros padres hacen cosas tan malas que acaban en la cárcel. Algunos gastan mucho dinero en otras mujeres y esto lastima profundamente a sus esposas y a sus hijos. También hay madres que se comportan inapropiadamente saliendo con otros hombres o descuidando su casa y su familia. Muchas veces se pelean y gritan tanto, que los vecinos llaman a la policía para que los callen. Algunos padres se comportan en forma extraña y es necesario llevarlos a un hospital psiquiátrico. Estos hospitales son para personas que tienen problemas y preocupaciones muy grandes.

Éstas son algunas de las terribles cosas que pueden suceder con los padres, cosas que pudieron causar el divorcio.

Muchos de los niños que tienen padres que hacen algunas de estas cosas, se sienten muy avergonzados. Piensan que no valen nada porque la gente les encuentra muchos defectos a sus padres. Esta es una forma muy equivocada de pensar. Es muy triste para algunos niños tener un padre que hace este tipo de cosas malas o incorrectas, pero esto no significa que el hijo pierda su valor como persona por los actos de sus padres. Simplemente tiene la mala suerte de que su padre sea así. Si piensas que eres una persona a quien se debe rechazar porque tienes este tipo de padres, estás equivocado.

Trabajos extras y responsabilidades

Los hijos de padres divorciados deben hacer más cosas solos, en comparación con las que tienen que realizar los niños con padres casados. Deben hacer más cosas en la casa, ayudar a cuidar a sus hermanos menores y efectuar tareas que le corresponderían a gente mayor. Estas responsabilidades extras, si no son exageradas, pueden ser buenas y saludables para un niño. Le ayudarán a crecer y a aprender muchas cosas que le serán muy útiles cuando sea mayor. Esta es una de las muchas formas en las que un niño con padres divorciados puede estar mejor que un niño cuyos padres están casados.

Muchos niños están de acuerdo en hacer trabajos extras. Sin embargo, algunos se rehúsan terminantemente y tratan de volver a ser niños chiquitos; quieren que vuelvan los días en que eran pequeños y todo se les hacía y se les daba. A menudo, estos niños tienen madres que contribuyen a que esto suceda, pues los miman y consienten todo el tiempo. Estos niños y estas madres están cometiendo un gran error ya que los niños no serán capaces de aprender a hacer muchas de las cosas que todos los niños mayores y maduros tienen que hacer. Cuando crezcan, estos niños pueden tener miedo de empezar a trabajar, de casarse o de cuidar a sus propios hijos.

Algunos niños usan el divorcio como una excusa para no tener ninguna responsabiliad. Piensan que sólo porque sus padres están divorciados se les debe tener pena y se les deben conceder privilegios especiales. Bajo este pretexto, tratan de evitar hacer muchas de las cosas que deben realizar. Estos niños pueden sentir que la gente no debe esperar que ellos hagan muchas de las cosas que otros niños de su edad hacen, como algunos quehaceres domésticos, los mandados, los trabajos no tan agradables y las tareas, sólo porque sus padres están divorciados. Cualquier adulto que promueva que sus hijos no asuman responsabilidades, comete un gran error, ya que no está ayudando a crecer a sus hijos y sólo está provocando que sigan portándose como unos bebés. Otros niños los van a ver como "niños privilegiados" o mimados y no van a querer relacionarse con ellos.

Los hijos de padres casados tienen dos adultos viviendo en la casa que con frecuencia les dan amor y amistad. Los niños cuyos padres están divorciados tienen tan sólo un adulto. Estos niños tienen que compensar esta pérdida encontrando sustitutos en algún otro lugar. Son precisamente ellos los que tienen que tratar de encontrar amigos para sentirse menos solos; ten presente que son pocos los niños que se ganan amigos quedándose sentados y sin hacer nada. Tienen que salir a donde hay niños y relacionarse con ellos. Deben invitar a otros niños a sus casas y aceptar invitaciones para ir a jugar a otras casas.

Tienen que ir a deportivos, iglesias, campamentos o grupos en la escuela en donde encontrarán a otros niños con los que podrán relacionarse. Estos lugares le ayudarán en diferentes formas. Cuando esté con otros niños, el niño se sentirá menos solo y podrá gozar de muchas amistades. De igual manera, la gente responsable de estos grupos, casi siempre está en posibilidades de ayudar al niño a compensar la pérdida que siente por la ausencia de su padre.

Muchas de las cosas que se hacen con un padre pueden hacerse con otros adultos. Hasta los niños más tristes y solos, se sienten mucho mejor cuando tienen más amigos, ya sean más chicos o más grandes que ellos.

A medida que creces, te será más fácil relacionarte con otros niños, pues serás más independiente. Los adolescentes pertenecen a grupos que ellos mismos forman y salen entre ellos; así conocen a más personas con las que pueden llevarse muy bien.

Cuando seas aún más grande y estés en la universidad, en el trabajo o en cualquiera de tus actividades, siempre encontrarás

gente a la que estimarás y que te agradará, así como personas que te van a querer y a las que les caerás bien.

Lo que acabo de decir es muy importante ya que muchos niños con padres divorciados no quieren crecer ni casarse. No porque el matrimonio de sus padres haya sido malo significa que todos los matrimonios son malos y están llenos de peleas y situaciones desagradables. Al contrario, mucha gente es muy feliz en su matrimonio. Esto no quiere decir que en un buen matrimonio nunca haya peleas o situaciones que causen tristeza. Todos los matrimonios tienen cosas buenas y otras menos agradables. Pero en los matrimonios felices, no se dan tan seguido las situaciones desagradables. No porque tus padres se hayan divorciado debido a las muchas peleas así como a las situaciones desagradables que existían en su matrimonio, significa que tú no serás capaz de tener algún día un buen matrimonio.

11

Si tienes que ver a un terapeuta

Algunos hijos de padres divorciados tienen tantos problemas que necesitan la ayuda especial de alguien que podría ser llamado *terapeuta*. Yo soy un psiquiatra infantil y soy un terapeuta. Hay muchas otras personas que también lo son. Generalmente, el divorcio por sí mismo no causa tantas dificultades a un niño como para que éste tenga que ir a ver a un terapeuta. Si sus problemas son muy grandes, esto significa que también tiene otro tipo de preocupaciones que guardan poca o ninguna relación con el divorcio de sus padres.

¿Cuál es el tipo de gente que ve a un terapeuta?

Algunos niños piensan que sólo la gente "loca" tiene que ir a ver a un psiquiatra o a cualquier tipo de terapeuta. Si los niños que piensan así tienen que ir a ver a alguno, se sienten muy avergonzados por tener que hacerlo y muy mal consigo mismos. Creen que algo terrible debe estarles sucediendo. Pero te asombrará saber que la mayoría de los niños que van con terapeutas no se ven ni se comportan diferente de otras personas. Hay niños que tienen problemas especiales en algunas áreas de sus vidas pero que pueden estar muy bien en otras. No en todo tienen problemas, sólo en algunas cosas.

Niños que se avergüenzan de tener que ir a ver a un terapeuta

Algunos niños piensan que es terrible y vergonzoso ir a ver a un terapeuta y por lo tanto, se rehúsan a asistir a sus sesiones. Este es un gran error porque esta actitud no les ayuda a resolver sus problemas. Si fueran con el terapeuta posiblemente entenderían y solucionarían muchos de sus problemas. Otros niños van con pena y vergüenza y tienen mucho cuidado de que la gente no se entere de que están yendo a ver a un terapeuta; por todos los medios tratan de mantenerlo en secreto. Creen que si las personas se enteran, no querrán estar más con ellos. Estos niños no se dan cuenta de que sus problemas son tan sólo una pequeña parte de ellos mismos y que el resto casi siempre está sano y bien. Tampoco saben que lo que más les interesa a otros niños es si se la pueden pasar bien o no contigo. Si eres una persona amigable y con la que los demás se pueden divertir, los niños querrán estar contigo aun cuando vayas a ver a un terapeuta.

Pueden existir algunos padres en tu colonia con ideas raras sobre la gente que va a ver un terapeuta. Estos padres pueden pensar que los niños que lo hacen están locos y que les pasarán cosas terribles a sus hijos si éstos juegan con un niño que va a ver a un terapeuta. A menudo, esta gente es la misma que tontamente piensa que algo debe estar muy mal en un niño con padres divorciados. Si tú vas a ver a un terapeuta, no hagas caso de esta gente. Recuerda que posiblemente ellos están peor que tú ya que su forma de pensar es tan absurda. Pero lo más importante es tener presente que los hijos de esta gente van a querer estar contigo si tú eres una buena persona, amigable y simpático con ellos, sin importarles que vayas con un terapeuta.

¿Qué es lo que hacen los terapeutas?

Déjame contarte algunas de las cosas que hace un terapeuta. Aunque son doctores, no inyectan ni examinan tu cuerpo. A veces, les dan medicina a los niños para que éstos estén más tranquilos y menos nerviosos. En las oficinas de los terapeutas, los niños frecuentemente dibujan, juegan con juguetes y otro tipo de juegos y cuentan historias. A algunos terapeutas les gusta conocer los sueños de los niños ya que éstos les pueden revelar algunas cosas acerca de los problemas que traes muy dentro, algunos problemas que ni siquiera tú sabías bien que existían. Los terapeutas también platican con los niños y con sus padres sobre algunos de los problemas de los que hemos hablado aquí. Todo esto puede ayudar a que el niño se preocupe menos y se sienta mejor.

A pesar de que la mayoría de los niños de padres divorciados no tienen que ir a ver a un terapeuta, todos podrían sentirse un poco mejor en lo que se refiere a sus problemas si hablaran con sus padres y les hicieran preguntas. Si tú no vas con un terapeuta, estoy seguro de que te sentirás mucho mejor, si platicas todas tus preocupaciones con tus padres.

12

La regla de Fields

En los primeros días del cine, existió un actor muy famoso llamado W. C. Fields. Él era comediante y actuaba en muchas películas chistosas, muchas de las cuales aún puedes verlas hoy en día. Algunas de las cosas chistosas que decía también eran muy sabias, todavía se citan en la actualidad y casi se han convertido en dichos célebres. Uno de ellos decía:

"Si al principio no tienes éxito. . .

Inténtalo e inténtalo nuevamente. . .

Y si después de esto,
aún sigues sin tener éxito. . .

Olvídalo. . .

No te hagas tonto a ti mismo."

Este es un dicho muy sabio al que yo llamo "la regla de Fields" y a menudo se las digo a mis pacientes, tanto a los jóvenes como a los más grandes. Muchas personas se rehúsan a aprender de sus errores y continúan tratando de tener éxito en cosas en las cuales ya deberían haber aprendido desde hace tiempo, que no podrían más que fracasar.

Muchos hijos de padres divorciados no tendrían tantos problemas si tomaran en cuenta la regla de Fields. Gran parte de estos niños continúan intentando volver a unir a sus padres cuando realmente sus intentos son en vano. Otros continúan tratando de conseguir que alguno de sus padres los quiera, a pesar de que no logran su objetivo. Con frecuencia se aferran a estas cosas, no pierden la esperanza, no admiten que no lo pueden lograr y no se dan por vencidos. No ponen esa energía en situaciones o actitudes que sí pueden ayudarlos a solucionar sus problemas.

¡Así que siempre recuerda la regla de Fields!

Te he dicho muchas cosas relacionadas con el divorcio. Es difícil entenderlas todas en la primera lectura. Lee nuevamente las partes de este libro que no te quedaron claras y pídele a tus padres que te las expliquen. Frecuentemente ayuda el discutir estas cosas con ellos.

Recuerda, si estás preocupado por algo, habla con tus padres acerca de tus dudas y hazles preguntas. Si lo haces, estoy seguro de que te sentirás mucho mejor y superarás, poco a poco, todos tus problemas.

Epílogo

Escribí este libro porque quise que los niños de padres divorciados lo leyeran y se sintieran mejor en lo que se refiere a sus preocupaciones y problemas.

Espero que mi deseo se haya vuelto realidad.